徳間文庫

がばいばあちゃんの

笑顔で生きんしゃい!

島田洋七

徳間書店

目次

〈本文イラスト・伊波二郎〉

プロローグ
〜がばいばあちゃんと、七人の子どもたち〜

八歳の時、俺は佐賀のばあちゃんの家に預けられた。

それまでは、かあちゃんと兄ちゃんと俺の三人で広島で暮らしていた。

とうちゃんが、俺がまだ物心のつく前に原爆症で亡くなったので、かあちゃんが細々と居酒屋をやって、俺たちを育ててくれていたのだ。

だから、夜はいつも兄ちゃんと二人で留守番だった。

けれど、小さい子どもというのは、母親が恋しいものだ。

小学校にあがり、周辺の地理が理解できるようになってくると、俺はかあちゃん恋しさのあまり、夜の町をかあちゃんが働く居酒屋めざしてちょこまかと出かけていくようになったのである。

戦後の動乱期のこと。

夜の町は、とても物騒だった。

そこで、かあちゃんは幼い俺を預かって欲しいとばあちゃんに頼んだのだ。

かあちゃんっ子の俺のこと。

預けられることを話せば、泣いていやがるに違いないという大人たちの知恵で、
俺は、広島に遊びに来ていたおばちゃんの見送りという名目で駅へ連れて行かれ、
わけもわからないまま汽車に押し込まれた。

本当に不意打ちだった。

しかも、たどり着いた佐賀は、都会の広島と違って田んぼばかりが広がる、美しいが寂しい田舎町。

その上、ばあちゃんには赤ん坊の時以来、会っていなかったので、預けられた時が初対面みたいなものだった。

あの時の、本当に心細く不安だった気持ちは、今も忘れられない。

だから、まさかそれから中学を卒業するまでの八年間で、第二の故郷と思うほ

ど佐賀を大好きになるなんて思いもよらなかったし、ましてや、こんな本を書くほど、ばあちゃんとの絆《きずな》が深まるなんて予想もしていなかった。

ばあちゃんは1900年（明治三十三年）生まれ。名前はサノで、みんなからは「おサノさん」とか「おサノばあちゃん」と呼ばれていた。

（ちなみに俺の本名は徳永昭広《とくながあきひろ》。本の中では、本名で登場するので、よろしく）

ばあちゃんの生家のことはよく分からないが、ばあちゃんのばあちゃんが鍋島《なべしま》藩の乳母《うば》だったそうだから、割合に裕福な家に育ったのではないかと思われる。すごい達筆だったし、当時の女性としては珍しくきちんと教育を受けたのじゃないだろうか。

ばあちゃんの従兄弟《いとこ》が、佐賀大学附属小学校の校長を務めていたという話からも、あまり苦労して育ったとは考えにくい。

また、現在も元気に佐賀で暮らしている、俺のかあちゃんの妹・喜佐子《きさこ》おばちゃんが記憶していた話によると、じいちゃんと結婚するまでのばあちゃんは、陸軍大将さんの家でお手伝いさんをしていて、その時、非常に厳しく礼儀作法などを教え込まれたと言う。

陸軍大将の家ともなると、あまり素性の分からない人を住み込ませたりしないだろうから、くどいようだが、やっぱりばあちゃんは、なかなか立派な家に育ったに違いない。

が、おそらくいい家のお嬢さんだったばあちゃんは、なぜだか十三歳年上で、しかも再婚のじいちゃんと結婚してしまう。

この辺りのなれそめは、今となってはさっぱり分からないが、じいちゃんが当時ではモダンな自転車屋を営んでいたことから考えると、ウブなばあちゃんが、お洒落《しゃれ》で大人なじいちゃんにポーッとなってしまった、などということもあったかも知れない。

だが、ばあちゃんを支えてくれるはずだった一回り以上年上のじいちゃんは、ばあちゃんに七人の子どもを授けた後、五十五歳の若さで他界してしまう。

その後、ばあちゃんは苦労をし続け……、と俺は思っていたのだが、いや、もちろんその話に嘘はないのだが、今回、本を書くにあたって喜佐子おばちゃんから新たな情報を入手！

なんと、ばあちゃんの苦労はじいちゃんとの結婚から、その幕を開き始めていたらしい。

じいちゃんは龍谷学園の側で自転車屋さんをやっていたので、行き帰りの学生さんが毎日のように、

「パンクば、直してくださーい」

と来たそうだ。お店としては、すごい好立地である。

ところが、そんな時にじいちゃんが店に居た例《ためし》はなく、くる日もくる日も、

「酒だー」

「釣りだー」

と、走り回っていたと言うのだ。

ばあちゃんは、

「ごめんなさい。今、主人は出掛けてるんで」

と断ることなど思いもよらなかったようで、気丈にも、汗水たらして自分でパンクを直しつづけていた。

この時代、お嬢さん育ちの奥さんがパンクを直すなんて、まずなかったことだろう。

じいちゃんの名誉のために言っておくと、その後は自転車屋はやめて、市役所の水道課に勤めたそうだから、心を改めて、きちんと七人の子どもを養おうと努力したんだと思う。

ただ、自分でパンクを直していたという話を聞いた時、その後、激動の時代に女手ひとつで七人の子どもを育て上げた、逞《たくま》しいばあちゃんらしいエピソードだなあと思ったので、書き記しておいた。

さて、じいちゃんが亡くなった時、長女である俺のかあちゃんは十七歳だった。

以下、末っ子の三歳児まで五女二男。

ばあちゃんが、どれほど困り果てたかは想像に余りある。

まだ四十二歳という若さで美人だったから、普通なら再婚も考えられただろうが、何しろ子どもが七人である。

七人連れて、再婚したんじゃあ「食べさせて」という魂胆見え見えである。

そうなると、もう遺された家族で力を合わせるしか道はないが、当時のことだから、俺のかあちゃんなんて、涙をのんで遊郭《ゆうかく》に……という図式も選択肢のひとつではあったと思う。

または、思いあまって無理心中などという物騒な展開も、あり得ただろう。

でも、ばあちゃんは違った。

果敢に立ち上がり、自分が先頭に立って働くことを決意したのだ。

そして、かあちゃんと、すぐ下の喜佐子おばちゃんは、家計を助けるために働きに出したものの、今から四十五〜五十年も前なのに以下三人の妹は高校まで、さらに長男は大学まで出してしまったのである。

しかも、ばあちゃんがやった仕事は掃除婦だった。

前述の佐賀大学附属小学校校長である従兄弟に、

「ご主人が亡くなって大変だろうから、学校の掃除でもしてみたらどうか」

と誘われたのをきっかけに、朝四時起きで小学校の職員室とトイレの掃除をはじめ、以来、掃除一筋に頑張った。

もちろん、小学校の掃除だけで、子どもたちを食べさせてはいけない。ばあちゃんは休まないことと丁寧さを買われ、小学校から中学校、大学へと仕事を広げることに成功したのだ。

子どもたちは、次々と立派に巣立っていった。

銀行員とか公務員とか、いわゆる安定した、固い仕事に就いていったのである。

もちろん人間の立派さは仕事で決まるわけではないし、職業に貴賤《きせん》はないが、七人もいれば、普通の家庭でもひとりくらいは不良になるとか、危ない橋を渡る職業に就くとかしそうなものだが、全員がきちんと自立していったのは、やっぱりすごいことだと思う。

まあ、その分、孫に俺みたいなタイプが生まれてしまったのかも知れないが……。

それにしても、今思えば、俺がばあちゃんに預けられたタイミングというのは最悪だった。

なぜなら、その頃、ばあちゃんは、やっと子どもを育て上げたばっかりだったのだ。

つまり、やっと肩の荷が下りたところ。

その上、時代はまだまだ貧しく、子どもたちも自分のことで精一杯だから、ばあちゃんに仕送りをするまでには至らず、家計は苦しい。

どのくらい大変だったかは、家の前の川に流れてきた上流の市場で捨てられた野菜が、その日の献立を決定していたと言えば、分かってもらえるかも知れない。

（このあたりの詳しい話は、前作『佐賀のがばいばあちゃん』（徳間文庫）に書いてあるので、ぜひ読んでね！）

正直、俺が預けられた小学校低学年の頃は、夕飯のなかった日もあったくらいだ。

ばあちゃんにとって、育ち盛りの俺を預かるなんて、苦労を背負い込む以外の何ものでもなかっただろう。

でも、ばあちゃんは断らなかった。

いや、断れなかったんだと思う。

若くして夫を亡くし、懸命に働いて二人の息子を育てている長女からの頼みを。

だって、その苦労を一番、知っているのはばあちゃんに違いなかったから。

だから、ばあちゃんは俺を預かってくれた。

そして俺は、ばあちゃんと一緒に、中学を卒業するまでの八年間を過ごした。

それは、お金はなかったけど、工夫と発見と笑顔に満ちた毎日だった。

そこで俺は多分、楽しく生きる術《すべ》というのを学んだんじゃないかと思う。

大人なら誰でも、いや、もしかしたら最近は子どもでも「楽しく生きる」ことが、案外難しいものだと感じているだろう。

でも、ばあちゃんは知っていたのだ。

どうすれば楽しく生きられるかを。

そして、九十一年の人生を笑顔で終え、今なおその思い出話で、俺たちを楽しませてくれる。
この本から、たっぷりばあちゃんの知恵を盗んで欲しい。
そして、みんなで楽しい人生を生きよう！

第1章　がばいばあちゃんの、明るい子育て

1.「貧乏人が一番やれることは、笑顔だ」

八歳にして、佐賀の田舎に預けられた俺。

預けられたばかりの頃、広島という都会からやって来た俺は、おとぎ話でしか見たことのないような茅葺《かやぶ》きのばあちゃんの家や、田んぼばかりの風景に目を白黒させるばかりだった。

しかも、同級生たちも俺を遠巻きに見ていて、すぐには友だちもできない。

そんな俺を、ばあちゃんは黙って見守るばかりで、

「学校はどうだ？」とか、

「勉強は分かるか？」

とか聞いたことはなかった。

けれど、ひとつだけ口やかましく言われたことがある。

「笑顔で、きちんと挨拶《あいさつ》しろ。貧乏人が一番やれることは、笑顔だ」

というものだった。

それで俺は、とりあえず近所の人に、笑顔で元気よく挨拶するよう心がけた。

「笑っておけば、周りも楽しそうになる」

というのがばあちゃんの弁だったが、本当にその通りで、笑顔で挨拶されて嫌な気持ちになる人はいないらしく、田舎に急に現れた新参者の俺でも、元気に挨拶すれば、みんな笑顔で答えてくれた。

「こんにちは」

「あら、こんにちは。えーっと、確かおサノさんのところの……」

「はい。徳永昭広です」

「そう、そう。昭広くん、挨拶できて偉かねー」

そんな感じで、近所の人も俺のことを覚えていってくれる。

はじめはちょっと戸惑ったものの、俺が佐賀にすんなり馴染《なじ》めたのは、もちろん子どもだったせいもあるが、ばあちゃんに口酸っぱく言われた挨拶の成果も大きかったんじゃないかと思う。

それに学校の帰りなど、近所のおばさんに、

「こんにちは」

と笑顔で挨拶すれば、

「あら、こんにちは。昭広ちゃん、今、帰り？　そう、そう。いただきものの、おまんじゅう食べる？」

なんて、嬉《うれ》しい展開になることだってあった。

こうなると「スマイル　0円」どころか、「スマイルでボロもうけ」なわけで、俺は嬉しくなって、ますますニコニコ顔になる。

そういえば、ばあちゃんは「笑顔は宝」とも言っていた。

そして、自分もよくニコニコ笑顔で、近所の人々から、野菜や果物、お菓子などをゲットしていたが、まさに「笑顔は宝に変わる」ってことだったのだろうか。

それはともかく、もし俺が学校の帰りに、暗い顔でうつむいて通り過ぎていたら、どうだったろうか。

まんじゅうがもらえないのはもちろん、

「あの子は片親で、おばあさんの所に預けられているから暗い」

などと、つまらないうわさ話の対象になっていたかも知れない。

多分、じいちゃんに先立たれ、女手ひとつで子どもを育ててきたばあちゃんは、そういうことがよく分かっていたのだと思う。

辛《つら》い境遇の中、ニコニコ頑張っている人を悪く言う人はいない。

だから、ばあちゃんはどんな時にも笑顔で挨拶することを大切にしていたのだろう。


「笑顔」の他にももうひとつ、ばあちゃんが俺に口だしすることがあった。

それは、「身だしなみ」。

中でも、「お風呂」にはうるさかった。

当時は、今みたいに蛇口をひねればお湯が出るわけじゃない。

川から水を汲《く》んできて、火をくべて沸かすのだから、なかなか手間がかかる。

だから普通は、お風呂は二日に一回とか、もしかして冬場だったら三日に一回の家だってあったかも知れない。

でも、ばあちゃんの家では、雨の日でも雪の日でも、お風呂を沸かす。

寒い夜、服を脱いでお風呂に入るのが面倒くさくて、

「ちょっと風邪気味で……」

なんて言い訳をしても聞いてはもらえず、というより聞いてはいないらしく、

「風呂入れ」

のひと言で終わりだった。

夏ともなれば、さらなる「清潔」を求められ、学校から帰るなり「全部脱げ」と言い渡されて、家の前の川に放り込まれたものだ。

もちろん、ばあちゃん自身も雨の日も雪の日も、毎日お風呂に入ったし、掃除の仕事から帰ると、上から下まで、服を全部着替えていた。

これも多分、汚い身なりをしていて「片親だから」とか「掃除の仕事をしているから」などと言われるのが嫌だったからだと思う。

こんな風に書くと、意地っ張りでかわいげのないばあちゃんだったみたいだが、

しょせんは貧乏なわが家のこと。

ばあちゃんが全身着替えるなんて言っても、「もんぺ」から、別の「もんぺ」になるだけだから、これについては、もしかしたら周囲の人は、あまり気づいていなかったかも知れない。

「身だしなみ」に厳しかったばあちゃんは、俺の髪型にもうるさかった。

もちろん、最新流行の髪型にしろとうるさく言うのではない。

むんずと頭をつかまれ、櫛《くし》を当ててみて、ちょっとでも伸びているな、と思われたが最後。

有無を言わせず、バリカンでジョリジョリと丸坊主にされるのだった。

バリカンで刈られて、何が嫌かと言うと、左右で長さが違ったりするのはもうあきらめていたけど、とにかく「こそばい」のだ。

裏庭に座らされて、

「さあ、刈るぞ」

となっただけで、なんだか体中からこそばゆさがこみ上げてきて、もう「ククククッ」となってしまう。

ところが、ある時、いつものように「こそばゆさ」をなんとか我慢していた俺を、ばあちゃんがピシャッと殴ったのである。

それも、かなり強烈に。

いくら、こそばゆくて首をすくめていたからって、殴られるなんて理不尽だ！

そう思った俺は、もちろん抗議した。

「ばあちゃん、何すんねん！」

するとばあちゃんは、

「痛いか？」

と聞いて、ニッと笑う。

「な？　こっちが痛いと思ったら、そっちのこそばゆいのは忘れるばい」

それはそうだけど、この時ばかりは、ほんのちょっとだけ、ばあちゃんの明るさを恨んだものだった。

でも、この考え方は後々とても役に立った。苦労していると思っても、別のもっと苦労したことを考えたら、軽く感じることができるのだ。

さて当然、ばあちゃんは、かあちゃんを初めとする子どもたちにも、「身だしなみ」については口うるさかったらしい。

特に五人の娘たちには、

「男に寝顔ば、見せたらいかん」

「寝間着のまま、出てきたらいかん」

と厳しく言い渡し、どんな時にも旦那さんより早く起きて、服を着替え、髪をとかし、顔にはクリームのひとつも塗っておかなければ叱られたと言う。

が、ある時、ばあちゃんが素顔なので娘たちが指摘したら、

「私は、じいちゃんに先立たれたから」

と涼しい顔で言い放ったそうだ。

さすがである。

このように「笑顔」と「身だしなみ」にはうるさかったばあちゃんだが、それ

以外は、躾《しつけ》じみたことを言われることなど、まるでなかった。

それで俺は、かあちゃんに言った。

「ばあちゃんは、優しかねー」

ところが、かあちゃんが言うには、ばあちゃんは七人の子どもたちには、非常に厳しかったらしいのだ。

で、俺は、よせばいいのに今度はばあちゃんに言った。

「ばあちゃんって、昔は厳しかったらしいねー」

ばあちゃんは、少しうつむいて、

「好きで、子どもは怒らない」

と呟《つぶや》いた。

その時の俺には分からなかったけど、若い頃のばあちゃんは、じいちゃんがいないから、自分が父親も兼ねなきゃいけないと思って頑張っていたんだろうな、と今では思う。

そして、そのお陰で、子ども達は七人とも、曲がらず真っ直ぐ育ったのだろう。

2.「プレゼント？　手伝うてくれんか」

中学一年の時だった。

広島で居酒屋をやっていたかあちゃんが、大きな中華料理店の仲居頭に出世したこともあり、少しばかりのお小遣いを手にしていた俺は、ばあちゃんに聞いた。

「ばあちゃん、誕生日プレゼントは何がいい？」

ばあちゃんは、間髪を入れずに答えた。

「プレゼント？　手伝うてくれんか」

つまり、何か買うよりも、掃除の仕事を手伝って欲しいと言うのだ。

「うん、いいよ」

とは答えたものの、俺はちょっと気が重かった。

実は小学生の頃も、ばあちゃんが具合の悪い時などに、何回か手伝いに行ったことがあるのだが、これが非常にキツイのだ。

佐賀大学と附属の小・中学校で、職員室とトイレを掃除するのだが、大学以外のトイレは始業前に終えておかなければいけないから、朝は遅くとも四時起き。

それに、トイレの床はコンクリート敷きで底冷えがするし、まだ水洗じゃなく汲み取り式だったから臭いもある。

しかも、おそらく今ならブラシの付いた掃除機みたいなやつで、ガーッと床を洗って一気に仕上げるのだろうが、もちろん、その当時にそんなものはない。かなり強力そうな薬品を撒《ま》き、柄《え》のついたブラシでゴシゴシと根気よく磨かなければならなかった。

俺が小学校の頃なんて、まだゴム手袋もなかったから、あっという間に手がガサガサになったものだ。

もちろん、個室も一つひとつ丁寧に磨き上げて行くのだが、小さな子どもが使っている所もあるから、粗相で汚れていたりして、本当に、よほどの根性がなければできない仕事だった。

小学校の頃の、あまりにも寒い朝のこと。

確か、腰痛がひどいというばあちゃんのために掃除を手伝いに行っていた俺が、こう提案したことがあった。

「ばあちゃん、早朝は冷えるから、まず職員室をやってからトイレにしたら？」

けれど、ばあちゃんは首を横に振る。

「大変な方を先にやる。そしたら、後が天国だから」

聞いただけでは分からなかったが、その通りにやってみて、なるほどと思った。

寒くて辛いトイレ掃除を先にやってしまえば、職員室に入った時は天国みたいなもの。

口笛なんか吹きながら、楽々と掃除ができてしまうのだ。

それに、これもやってみて分かったことだが、どんなに寒くても、ブラシでゴシゴシと磨き、重労働をやっていれば、汗をかくほど温かくなるのだった。

さて、話が飛んでしまったが、中学一年生の時のばあちゃんの誕生日。

ばあちゃんに請《こ》われた俺は、誕生日プレゼントに掃除の手伝いに行くことになった。

相変わらずキツイ仕事であるには違いなかったが、中学生になっていた俺は、力も強くなっていて、意外なほどに作業はずんずんはかどった。

ばあちゃんは、

「ラクねー」

と、すごく喜んでくれた。

その笑顔を見ると、俺も、

「これが、何よりのプレゼントなんだな」

と嬉しくなって、それから広島の高校へ進むまでの三年間、誕生日プレゼントは毎年、掃除の手伝いで通した。

何も高価なプレゼントなんか贈らなくたって、喜んでもらえるのだ。

ところで、この掃除だが、かあちゃん達も結構、手伝ったことがあったらしい。

何しろばあちゃんは「休まない」のが売りだから、どうしても避けられない用事の時などは、子ども達に代わりに行かせていたようだ。

「キツかった」

「ツラかった」

昔話になると、みんな口を揃《そろ》えて言うが、なぜかその顔は生き生きと楽しそうで、いつの間にか、

「私が一番、手伝わされた」

「いや、姉さんより私の方が……」

などと、手伝った回数を競う自慢話になっていたりするのだから面白い。

普通なら、涙ながらに語ってもいい話だと思うが、何というか、つくづく明るい一族である。

さて、プレゼントに「お手伝い」を所望《しょもう》するだけあって、ばあちゃんは大変な手伝わせ上手だった。

まず、八歳で佐賀に預けられたその日。

ばあちゃんは、いきなり俺に飯の炊き方を教えた。

炊飯器などなく、竈《かまど》に薪《まき》をくべて炊くのである。

八歳の子どもに、そんな……と思う人もあるだろうが、四時起きで掃除の仕事に出掛けるばあちゃんには、朝ご飯を炊いている時間なんてなかったのだ。

炊飯器のようにタイマーがあれば、目覚めるなりホカホカのご飯にありつけるが、そんなものがあるはずはなく、ばあちゃんは前日の残りの冷やご飯で、さっさと食事を済ませ、出掛けるしかない。

でも、子どもにそれじゃ可哀想だと思って、飯炊きを教えてくれたんだと思う。

もちろん初めは、芯の残ったガチガチの飯になったりもしたが、貴重な米がそんなになってしまっても、ばあちゃんは文句ひとつ言わず、黙々とそれを食べてくれた。

だから、預けられた翌日の朝から、俺は八年間、朝の飯炊き係だった。

別に「手伝え」と言われたわけじゃないが、自分の役目なんだということは、八歳の子どもにだって分かった。

それから、風呂の水を汲むのと、裏の畑に水をまくのも俺の仕事だった。

当時はまだとてもきれいだった、家の前を流れる川からバケツで水を汲んで来

るのだが、ばあちゃんがやっているのを見て、何だか面白そうに思えた俺は、

「ばあちゃん、俺も手伝う」

と自分から申し出た。

ばあちゃんは、挑発的に、

「運べるんかい？ ハハハハハ……」と笑う。

こうなれば、ちっちゃくても男の子だ。

「運べるわい！」

と、向きになって、バケツに水を汲んだ。

ところが、水というのは案外重い。

ばあちゃんのように、両手にバケツを持つというのはさすがに無理だと思った俺は、ひとつのバケツを両手で持って、「うんしょ、うんしょ」と運んで行った。

すると、ばあちゃんは挑戦的に、

「両方、汲んでみろ」

と不敵に笑う。

「重たいよ」

と、さすがに俺は言ったが、

「重たくない」

と即答するばあちゃん。

仕方なく俺は、バケツに二杯の水を汲んで、両手で持って立ち上がった。

あれ？　重たくない。

不思議なことに、一杯を持つよりも、同じ重さのバケツを両手に持った方が、バランスがとれて歩くのが楽なのだ。

「な？」と、得意げにばあちゃんは笑った。

しかも一回に二杯汲めれば、運んで行くのは半分の回数で済む。

両腕に重たい水を持って運べた俺は、すっかり得意になって、その日以来、風呂のために バケツに四十〜五十杯、畑用に十五杯くらい、川から水を汲むのが日課になった。

これも別に、やれと言われたわけじゃないけど、ばあちゃんが他に用事もある

のに、何十回も川と風呂、川と畑を往復しているのを見たら、

「あ、それは俺がやるよ」

ってなるのが普通じゃないだろうか。

すっかり日課だったから、飯を炊いても水を汲んでも、

「ようやった」

と褒められることもないし、お駄賃をもらえることもなかったけど、自分は偉いなんて思ったこともなかった。

手伝いをしない子どもに、「褒めてやらせよう」みたいな話がよくあるが、それは何か違うなあと俺は思う。

親が何かをやっていたら、子どもは興味を持ってやって来る。

その時に、「できるかな？」とやらせてみて、やり遂げられたら、その子の仕事にしてしまえばいいのだ。

さて、そんな風に着実に、八歳の俺に仕事を増やしていったばあちゃんは、他

の働き手も見逃すはずはない。

何しろ娘が五人もいるのだから、結婚すれば、どんどん息子が増えて行く。

そして、お盆や正月には、みんなが実家にやって来る。

そんな時、おばちゃん達のお婿さんは、遠慮なくこき使われた。

夏なら、ばあちゃんの「水、まけー」のひと声で、みんなで川から水を汲んで道路に打ち水をする。

多いときは十人近くでやるもんだから、うちの前だけでなく、ずーっと先まで、あっという間に打ち水ができた。

「あらー、涼しくなったわー」

と、近所の人も大喜び。

だが、労働はまだまだ待っている。

「はい、次は畑にまいてー」

「お風呂、入れてー」

って掛け声がかかると、今度はバケツリレー。

川から風呂や畑まで、全員でずらっと並んで、水の入ったバケツを、「はい」「はい」とリレーしていけば、あっという間にお風呂の水もたまって大助かりだった。

俺たち親戚《しんせき》一同にとっては普通の光景だったが、端《はた》から見るとビックリするらしい。

ばあちゃんの末娘の明子おばさんは、俺が佐賀に預けられてから結婚したのだが、そのお婿さんがはじめて家に来た時の様子は、本当におかしかった。

この新しいおじさんは都会育ちなので、風呂に水を入れて欲しいと言われても、蛇口なんか見当たらないからキョロキョロしている。

俺が、見かねて、

「ほら、おじさん。こっち、こっち」

と川に連れて行くと、

「え？　川から水を汲むの」

と、それだけで唖然《あぜん》といった感じなのだ。

バケツリレーなんか始まった日には、もう目を白黒させてしまっていた。

けれど、みんなで一緒に働いているうちに楽しそうになって、

「昭広くん、キャンプみたいだねえ」

などと、しきりに感激しはじめたものだ。

その時は、「何、言ってるんだろう」と思ったが、確かに今考えれば、川から水を汲み上げて風呂を沸かし、薪で飯を炊くばあちゃんの家の暮らしは、毎日がキャンプみたいなものだったかも知れない。

毎日がアウトドアライフだと思えば、楽しいもんだ。


年末の餅《もち》つき大会になると、さらにおじさん達の受難は深まる。

十二月二十九日についたら「苦もち」になるからいけない、三十一日についたら、鏡餅が「一夜飾り」になるから縁起が悪いと言って、ばあちゃんの家では、毎年二十八日に餅つきをやっていた。

おばさん達の家で食べる分もつくから、全部で五臼《うす》くらいになる。

ばあちゃんは前日から餅米を仕込んで、当日は四時起きで米をふかし始める。

そして、いよいよ餅つきになるのだが、杵《きね》をふるうのは娘婿のおじさん達の仕事だ。

「はい」

「はい」

と手際よく水を差しながら餅を返すばあちゃん。

おじさん達は、このタイミングに合わせて、杵をふるい、五臼もの餅をつくのである。

この時代、田舎ではまだ餅つきをする家も多かったが、都会ではつく場所もないだろうし、買う家がほとんどだったと思う。

慣れない重労働で、おじさん達はへとへとになったことだろう。

一方、久しぶりに会ったおばさん達は、つきあがった餅を丸めながら話に花を咲かせている。

いとこ達も勢揃いしていたが、ただ一人、俺のかあちゃんだけは中華料理店の仕事が忙しくて来られなかった。

「おかあちゃん、汚れたけん、拭《ふ》いて！」

「かあちゃん、転んだ！」

そんな風にいとこ達が母親に甘えるのを見ると、たまらなく、かあちゃんが恋しくなって、

「昭広ちゃん、こっち来て食べんしゃい」

と、おばさんが、つきたての餅にきなこをまぶして差し出してくれても、なんだか素直になれなかった。

「食べたくない！」

そう言い放って家を飛び出すと、川の前にしゃがみ込んでわんわん泣いた。

「母ちゃん、なんで餅つきに来てくれないの？　みんな、かあちゃんいるのにー！」

しゃくりあげながら、川に向かって叫ぶ俺を見て、不憫《ふびん》に思ったのかも知れない。

ばあちゃんは、

「昭広、手伝うてくれ」

と言っては、ご近所につきたての餅を配るお供をさせてくれた。

にぎやかな餅つきは楽しかったが、ちょっとほろ苦い思い出でもある。

3.「新ちゃんが死ぬまで死ねない」

ばあちゃんの七人目の子ども、末っ子で次男の新（アラタ）ちゃんは、三歳の時の事故が原因で脳の成長が止まってしまった知的障害児だった。

七つ違いだから、俺がばあちゃんの家に預けられた時は、十四、五歳で、おじさんというよりは兄ちゃんという方がぴったりくる感じだった。

年中、浴衣に黒い帯を締めて、字なんか読めないのに本を抱えて（この本がまた、なぜかいつも上下逆なのだ）、何が楽しいのか、いつもニコニコ笑っていたが、近所のいじめっ子達からは、格好の餌食《えじき》にされていた。

「バカー」

「アホー」

「さわったら、うつるぞー」

子どものことだから、容赦ない言葉を投げつけられ、時には本当に殴られさえしていた。

当然、同じ家にいる俺も、

「アホの家の子やー」

「お前も、アホやろー」

と、散々にはやし立てられる。

正直言うと俺は、ばあちゃんの家に預けられたばかりの頃は、知的障害というのがよく分からなくて、どうしてアラタちゃんは、もう大きいのに、ときどきワーワーとワケの分からないことを言ったりするのか。

どうして「アホ」「アホ」と言われて抗議しないのか、さっぱり理解できていなかった。

けど、アラタちゃんには障害があるんだと知ってからは、猛烈に腹が立った。

血のつながりっていうのは、すごいもんだなあと今でも思うのだが、

「このおじさんは、俺が守らなきゃダメなんだ」

と、強く思って、実際にそうするようになったのだ。

でも、ばあちゃんはいつも俺に、

「あんたが仕返しばしようと思ったらいかんよ。手ぇ出したらいかん」

ときつく言い聞かせていた。

「怪我させても、病院代とか弁償する金はなかと」とも。

実際、お金がなかったのもあるだろうけど、ばあちゃんの仕事が学校の掃除だったことも大きいと思う。

学校で働いている人の子が、よその子どもに怪我をさせたりしたらクビになる恐れもあったのだろう。

だから、アラタちゃんがいじめられている時は、俺は楯《たて》になるしかなかった。

「バカ」

「アホ」

とののしられて、殴られたり蹴られたりしているのを見たら、

「やめろ！」

って飛んで行って楯になり、自分が殴られたり蹴られたりする。

だから俺もアラタちゃんも、年中あちこち痣《あざ》だらけだった。

でも、小学校五年生になったある時。

俺は、ばあちゃんの言葉なんか木っ端みじんに吹き飛んでしまうような光景を目にした。

十人もの子どもが、楠《くすのき》の幹にくくりつけたアラタちゃんを、まるでサンドバッグのように殴りつけていたのだ。

「このバカ！」

「アホたれが！」

と、いつものように口々に、汚い言葉でなじりながら。

身動きできないアラタちゃんは、ただ、ただ足をじたばたさせて、

「アーッ　もうっ!!」

と不自由な言葉で叫んでいる。

悔しかった。

そして、許せないと思った。

気が付いた時には俺は、その辺にあった太い棒をつかんで十人もいる、いじめっ子に向かって突進していた。

ばあちゃんにきつく言われ、三年もの間、一度も手をあげなかった俺が、いきなり襲いかかってきたのだから、いじめっ子たちは相当に驚いたようだった。

頭に血の上った俺は、恐いものなんかないから、狂ったようにブンブンと太い棒を振り回す。

「何や、コイツ」

「おかしいぞ」

文字通り、狂気の沙汰《さた》の俺を恐れ気味悪がって、いじめっ子たちは、またたく間に退散してしまった。

「アホー！」

走り去って行く、いじめっ子たちの背中に精一杯の悪態をついて、荒い息を吐きながら、俺は、ばあちゃんに叱られるだろうなあと思った。

でも、ばあちゃんは鼻血で汚れたアラタちゃんと、奮闘で泥だらけになった俺

を見比べて、

「風呂、入れ」

と言っただけだった。

それでも俺は、不安だった。

いじめっ子たちの親が抗議に来るんじゃないかと。

そうしたら、ばあちゃんの立場が悪くなってしまう。

「ごめんください」

七時頃、玄関で声がした。

「来た！」と思った。

ばあちゃんと訪ねてきたおばさんが、何か低い声で話をしている。

俺とアラタちゃんが呼ばれた。

玄関に行くと案の定、いじめっ子のひとりと、その母親がいた。

叱られると思ってうなだれている俺の横で、アラタちゃんは何も知らずに、いつものようにニコニコしている。

「ほら、あやまりんしゃい」

いじめっ子の母親が、自分の子どもの頭を押さえつけた。

「本当に、アホなことして！　ごめんなさいね、昭広ちゃん、アラタちゃん」

母親に頭を押さえつけられながら、いじめっ子が小さな声で言った。

「ごめん……」

本当にホッとした。

ホッとしたら、涙があふれてきて、止まらなかった。

その後も、何人かの子どもが母親に連れられてあやまりに来た。

けれど、俺は次第に不安になっていった。

みんなお母さんの手前あやまっているが、明日になれば、こっぴどい仕返しが待っているんじゃないだろうかと。

次の日。

俺は、ビクビクしながら学校へ行った。

ところが、みんなの様子がおかしい。

何か俺を遠巻きに見ている感じなのだ。

「十人をコテンパにやっつけたと」

「太い木ば振り回して暴れたと」

「がばい、強かぞ」

そんな噂《うわさ》が、俺の耳にも届いてきた。

話に尾ヒレがついて、俺は怒らせたら何をするか分からない、とんでもなく強く、そして恐ろしい奴だということになってしまったのだ。

廊下ですれ違ういじめっ子たちも、俺と目を合わせないようにオドオドしている。

別に強いわけじゃなくて、アラタちゃんを守ろうという一心で無我夢中だっただけなのだが、その日から俺は、番長みたいになってしまった。

でも、お陰でアラタちゃんは、二度とあんなにひどいイジメに遭うことはなかった。

もちろん、アラタちゃんをいじめるひどい人ばかりだったわけではない。

優しく接してくれる人も大勢いた。

ふらふら出歩いているアラタちゃんを、

「神社の方にいたから、連れて帰ってきたよー」

と送ってきてくれる面倒見のいい子がいたし、アラタちゃんの大好きな筏《いかだ》に一緒に乗せてくれる子だっていた。

アラタちゃんは、いつも本を抱えているので、近所の人が、

「何、読みようと？」

と聞きながら覗《のぞ》き込むのだが、それがまた『ソクラテスとプラトン』みたいな哲学の本と『冒険王』なんて漫画雑誌だったりするもんだから、

「すごい組み合わせたいねー」

と、みんなで大笑いしたり、アラタちゃんのお陰で、場が和《なご》むというか、笑いが絶えなかった。

こんなこともあった。

いつものように、川から風呂の水を汲んでいた俺のところへ、アラタちゃんがやって来て、手伝いたいというそぶりを見せた。

そこで俺は、バケツに水を汲んでやり、運んで行ってもらうことに。

ところが、普段ならもう一杯になってもいい頃なのに、アラタちゃんは、いつまでもニコニコとやって来ては、水を汲めと言うのだった。

「いくら何でも、もう一杯になっただろう?」

おかしく思った俺は、もしかして水が溢《あふ》れてしまっているのではと思い、風呂場に行ってみたのだが……。

なんと、風呂桶《ふろおけ》はカラッポ。

それもそのはず、アラタちゃんが栓を抜いていたのだった。

その夜は、ばあちゃんと大笑いをしたものだ。

それから、アラタちゃんはバスに乗るのが好きで、お金も持っていないのに、勝手に乗ってしまうのだが、運転手さんは心得たもので、いつも乗ったバス停に、またアラタちゃんを降ろして行ってくれた。

いじめられもしたけれど、町中の人がアラタちゃんという存在を知っていて、アラタちゃんは地域の人と関わりながら生活していたのだ。

それは、ばあちゃんがアラタちゃんを世間から隠したりせずに育てたからだと思う。

今は、障害のある人のための施設や学校もいっぱいあって、それはそれでいいことだと思うけれど、障害者がごく普通に、周囲の人と交わる機会が減ってきているように思う。

子どもたちも、普段、周りにいないから、例えば社会に出てから障害者に出会うことがあっても、どう接していいか分からないんじゃないだろうか。

いじめるにしろ、優しく接するにしろ、いろんな境遇の人がいるということを、小さい頃から知っているのは大事なことだと思う。

昔は施設もほとんどなかったし、あったとしても、ばあちゃんには預けるお金もなかっただろうけど、でも、もしそういう機会があっても、ばあちゃんはアラタちゃんを預けなかったと思う。

「自分の子どもを、人に預けてどうする」

いつも、そう言っていた。

ばあちゃんは、とても愛情の強い人だった。

これも喜佐子おばちゃんから聞いた話だが、ばあちゃんが、じいちゃんを亡くした頃から、日本の戦況は悪化していった。

戦中そして敗戦に終わった戦後、日本は非常に貧しい時代となる。

親戚に農家がなく、食糧に不自由したばあちゃんは、空き地を耕し、米や野菜をつくった。

必死で働いても、米はせいぜい二升くらいしか穫《と》れなかったが、ばあちゃんはそれを、自分は食べなくても子ども達に食べさせたと言う。

喜佐子おばちゃんも、うちのかあちゃんも、その当時の人としては、すらっと背が高いのだが、遺伝だけでなく、ばあちゃんが必死で食べさせてくれたお陰だと思うと目を潤ませた。

また、戦争中は焼夷弾から逃れるため、ばあちゃんは自ら、家の前にある川の橋の下に台を作った。

そして空襲があると、

「橋の下さ、逃げろ！」

と、子ども達を橋の下に避難させ、自分は家に残ったと言う。

万一、焼夷弾が落ちてきたら、家を守らなければならないからと、自分は避難しなかったそうだ。

まさに命がけで、子どもたちと家を守ったのだ。

それから何十年もが経ち、入院したかあちゃんは俺に頼んだ。

「おかあさんの写真、持って来て」

ばあちゃんの写真のことを言っているんだと、俺が分かるまでに、少し時間がかかった。

かあちゃんも、それまではずっと俺と同じように「ばあちゃん」と呼んでいたから。

人は年をとると子どもに戻るというが、この時のかあちゃんもきっとそうだったのだろう。

子どもに戻った心で、自分を強い愛情で包んでくれた母親が恋しくなったに違いない。

それから何日かの後、かあちゃんは枕元に置いたばあちゃんの写真に見守られて亡くなった。

俺はまだかあちゃんの墓石の前で、きちんと拝んだことがない。

いつも5〜6メートル手前から、

「かあちゃん、元気?」

と話しかけている。

おかしいと思われるかも知れないし、かあちゃんには悪いことをしているのかも知れないけれど、なんだかまだ、どこかで、かあちゃんの死を認めたくない自分がいるのだ。

ばあちゃんが、

「アラタちゃんが死ぬまで死ねない」

と言うのを、俺は何百回となく聞いた。

アラタちゃんは結局、三十歳で亡くなったが、亡くなるその日まで、ばあちゃんは一度もアラタちゃんを手放さなかった。

4.「人生は、総合力だ」

ばあちゃんの長男の晃《あきら》さんは、俺が佐賀に預けられた当時は、まだ福岡大学の学生だった。

アラタちゃんが抱えていた『ソクラテスとプラトン』みたいな哲学書も、このおじさんの持ち物で、とにかく頭の良い人だった。

その上、所属のテニス部では国体にまで出場するスポーツマンで、まさに文武両道。

時々、ばあちゃんの家に帰って来るんだけれど、テニスラケットなんか抱えて、いかにもデキる「大学生」って感じで、すごく格好良かったものだ。

子どもの頃は大して気にしていなかったが、中学生にもなると、そんな頭のいい長男を持つばあちゃんに、俺の情けない通知表はどう見えるんだろうかと、ちょっと不安になったことがある。

それで、ある時、通知表を見せながら、

「1とか2ばっかりでごめんね」

小さい声で、そう言ってみた。

すると、ばあちゃんは意外そうに俺の顔を見返して言うのだった。

「何、言うとる。大丈夫、大丈夫。足したら、5になる」

「え？　通知表って、足してもいいの？」

驚いて聞いた俺に、

「人生は、総合力」

きっぱりと言い切る、ばあちゃんだった。


人生は総合力。

「勉強だけがすべてじゃない」という意味でもあったのだと思う。

それは、次のようなばあちゃんの言葉でも分かる。

「みんな偉い人にはなれない。頭を使う人もいれば、労働力もいる。総合力で世の中は成り立ってるばい」

晃さんのように賢い人もいれば、俺のように勉強の苦手な人もいる。

でも、どちらが良いなんて、誰にも言えないのだ。

それが分かっていれば、勉強ができないことを苦にする子どもも減ると思う。というか、勉強ができないと分かれば、他の道を選ぼうと考えられるはずだ。

それなのに近頃の教育は、何か間違っている。

小さい間は、5段階ではっきりと評価することをやめ、「できました」「よくできました」なんて曖昧《あいまい》な言い方でごまかして、受験になると、いきなり偏差値とやらを持ち出してきて、数字できっぱりと、できない奴を切り捨てる。

これじゃあ、突然の裏切りだ。

子どもの頃、勉強が出来ない俺は、通知表をもらうのが嫌だった。

終業式の日。

「では、今から通知表を配ります。呼ばれた人から、前に来てね」

先生に言われると、ドキドキしたものだ。

「足立くん」

「井上くん」

出席番号順に、名前が呼ばれる。

「よく頑張ったね」

「次は算数、頑張ろうね」

「佐々木君は、もっと国語を頑張ろうね」

先生は、一人ひとりに声をかけながら、通知表を手渡してくれる。

もらった生徒は、席に帰るのも待ちきれず、立ったまま、そうっと通知表を開いて覗いては、

「うわー、最悪」とか、

「あー、良かった」とか言いながら席に戻り、

ある者はガックリと机に突っ伏し、ある者はニタニタといつまでも通知表を眺めている。

次は、いよいよ俺の番だ。

「徳永くん」

ついに名前が呼ばれた。

「はい。体育以外、全部頑張ろうね」

先生は、ニッコリ笑ってそう言うと、俺に通知表を手渡した。

励まそうとかけてくれた言葉なのだろうが、いくら俺の頭が悪くても、

「なんだか不思議な言い方だぞ」

と気づく。

もちろん、案の定の結果だったが、やっぱり何度も、そーっと通知表を覗き込んでは、一喜一憂したものだ。

それで、いいじゃないか。

何度も、そういうことを繰り返しているうちに、

「自分は勉強ができる」とか、

「勉強はできないけど、体育はすごい」とか、
自分のことが分かるようになる。

そう言えば小学校の運動会で、競争はいけないから、みんなで並んでゴールイン！　なんてことをやっているところがあるらしいが論外だ。

学校は、社会の縮図でいい。

強い子は威張って、弱い子はいじめられて、勉強ができる子は得意になって、できない子は別の得意技を見つけようとする。

もちろん子どもだから、大人の先生が見守ってやり、時には助言を与えてやる必要はあるだろうけれど。

5.「好きに生きないとダメ。自分の人生だから」

八年間を佐賀で過ごし、広島のかあちゃんの元へ帰った俺だったが、その後も、ばあちゃんっ子なのは変わらなかった。

夏休みには必ず佐賀に行き、ばあちゃんといろんな話をしたり、畑仕事を手伝ったりした。

だからもちろん、三十三年前に今の嫁さんを連れて家出した時も、行き先はばあちゃんの家だった。

というか、ばあちゃんの家しかなかった。

「よう来たねえ」

と、女連れの俺を不審な顔もせず、ニコニコと迎えてくれるばあちゃん。

さすがに、ふたりして家出して来たとは言いにくくなり、とりあえず広島を出て、どこかで働こうと思うと話した。

すると、ばあちゃんは、

「そうか。じゃあお前は学歴がないから東へ行け。東は労働力が高い」

とやたら東方向へ行くことを勧めた。

まあ、いたのが九州だから東へ向かえば国の中心地になるのは確かだし、俺たちは、ばあちゃんの助言に従って佐賀から東へ、東へと向かった。

そして関西にたどり着き、初めて行った花月で漫才に出会ったのだ。

その時、舞台に出ていたのは、笑福亭《しょうふくてい》仁《に》鶴《かく》、中田カウスボタン、西川やすしきよし、と超豪華メンバー。

俺はすっかり芸人の舞台の格好良さに魅了されてしまった。

そして、なぜだか何の根拠もなく、

「俺にも、できそう」

と思い、島田一門へ弟子入りしてしまったのだった。

大阪で初めて借りたアパートは、四畳半で家賃が四千円ちょっと。

ばあちゃんの家は貧乏だったけど、家は持ち家だったから、食べ物さえあれば暮らしていけた。

それに比べて、

「都会は寝る場所も、一畳で千円か。高いなあ」

と、早くも都会暮らしに不安を感じたものだ。

しかも家出だし、知らない土地で新居に入っても喜んでくれる人などいなかったけれど、ばあちゃんだけには住所を知らせると「元気でやってるか？」と手紙をくれた。

そして、さりげなく（？）便せんの片隅には、ご飯粒で三千円がくっつけられていた。

家賃が四千円だから、この三千円はすごくありがたかったが、すぐ米になったと書けば、どんな暮らしだったか分かってもらえるだろう。

漫才修行とアルバイトに明け暮れて、あっという間に半年ほどが過ぎた。

「そろそろ、ほとぼりもさめたかなあ」

と思った俺と彼女は広島に帰り、彼女の両親に「結婚させて欲しい」と頭を下げた。

が、定職もなく漫才修行などやっている男に、娘をやりたい親もいないだろう。

「どこの誰かも分からん奴に、娘をやれるか！」

と激怒されて玉砕。

またまた、佐賀のばあちゃんの家にすごすごと引き上げることになった。

さすがに、もう広島のかあちゃん達から家出だと聞いていると思ったので、

「ばあちゃん、家出なんかしてごめんな。お金、ありがとう」

と、うなだれてあやまる俺。

けれどばあちゃんはいつになく真面目《まじめ》に、怒ったように言った。

「人生は好きに生きないとダメ。私に謝ることはない。昭広、お前の人生だから」

漫才は修行中でこれからどうなるか分からないし、結婚もみんなに反対されて、しょぼくれている俺にとって、本当に救いとなった言葉だった。

それから一年ほどで、俺は関西では結構、売れてる漫才師となった。

けれど新人漫才師の収入はそれほど多くなく、子どもも生まれたので、「昼は舞台」「夜はアルバイト」を繰り返す日々だった。

夜にできる仕事といえば、当時は水商売かトラックの運転手くらいしかない。

どちらも仕事はキツかったけれど、水商売なら夜に漫才の仕事が入っても、少しは時間の自由がきくし、余ったつまみで腹を満たしたり、お客さんからチップをもらえることもあるので、俺はスナックに勤めることにした。

店が終わる時間には終電がなくなっているけれど、タクシーを使うとお金がかかるから、朝までスナックのソファで横になる。

そして始発で家に帰り、風呂に入って着替えて、また舞台に立つ。

正直なところ、この生活を続けられたのは、毎朝四時に起きて掃除に出かけるばあちゃんの姿を見ていたからだと思う。

あの、ばあちゃんの頑張りを見ていなかったら、とっくに音《ね》を上げていた。

それからもちろん、ばあちゃんが言ってくれた「人生は好きに生きないとダメ」という言葉がずっと俺を励ましつづけてくれた。

そんなことがあったから、俺も子どもに自分の考えを押しつけようとは思わない。

自分が一生懸命頑張っていたら、その姿を見ている子どもがグレることはないと信じているからだ。

お陰様で、長女も長男も無事に成人を迎えた。ことに長女は、母方の祖母の介護をきっかけに看護師になり、立派に育ってくれたものだと感心している。

けれど先日、ちょっと腑《ふ》に落ちない事件があった。

テレビの番組で「お宅訪問」みたいなものに出演して欲しいと言われた俺は、自宅で撮影スタッフを待っていた。

嫁さんも娘も、いつになく身ぎれいにしていたが、家族も映るだろうからなあくらいに軽く考えていた。

ところが番組収録が始まった途端、娘がすーっと俺の前にやって来て座ると、

「お父さんに告白することがあります。実は三年前から付き合っていた人と、今度、結婚することになりました」

と言い出したのである。

三年間、付き合っていた？

結婚、する？

まるで聞いていなかった俺は、頭が真っ白になった。

でも、テレビカメラは告白された俺の顔をアップで捉え、反応を待ち構えている。

仕方なく俺は、おだやかに言った。

「三年間も告白できなかったなんて、そんな状況を作っていたお父さんが悪かった。ごめんな」

番組はハッピーエンドに終わったが、もちろん撮影チームが帰るやいなや、

「なんで三年間も黙っててん！」

と怒りをあらわにしてしまった俺だった。

しかし、後日、新幹線に乗り合わせた、番組を観たおばさんから、

「洋七さん、あんた立派ねえ。黙っていた娘さんに、あんな風に言えるなんて」

と褒められて、ちょっと赤面し反省したのだった。

でも。

娘の人生だから別にいいのだが。

それはそうなのだが、三年間も家族の中で俺だけが知らなかったなんて、怒らないまでも、ちょっとくらい拗《す》ねても許してもらえるんじゃないだろうか。

長男の方は、さすがに男の子だけあって反抗期があったが、ものの二日で終わってしまった。

ある日のことだった。

俺が家に帰ると、長男の大声が響いてきた。

「おかん！　それ、持ってこいや！」

こいつ、俺がいないと思って、母親に偉そうな口をききやがって。

これはビシッと言ってやらねばと、俺も長男に負けない大声を張り上げる。

「誰に、もの言うとんねん！　お前のかあちゃんの前に、俺の女やぞ！」

ついでに一発、バン！　と殴ってやったら、鋭い目で俺を睨《にら》み付けた。

が、自分が悪いのだから反省したのだろう。

二日ほどしたら、元の明るい息子に戻った。

「本気で殴られて、恐かった」

とも言っていた。

いくら口出ししないと言っても、やはり男親だ。

こういう時は言ってやらないとな、などと俺も悦《えつ》に入っていたのだが、間もなくカナダへ留学した息子からの手紙の書き出しはこうだった。

「お父さん、お元気ですか。そして、お父さんの女は元気ですか」

やられた。

やっぱり俺の背中を見て育っているんだなあ、と思った出来事だった。

第2章　がばいばあちゃんの、楽しい人づきあい

1.「人に気づかれないのが本当の優しさ、本当の親切」

八歳の時、はじめてばあちゃんの家を見た俺は本当に驚いた。

なにしろ、日本昔話で山姥《やまんば》か何かが住んでいるような、ボロい茅葺《かやぶ》きの家だったのだ。

しかも、半分は茅葺きさえ剝《は》がれてトタン板が打ち付けてある。

時は秋。

家の前を流れる川と、河原に生えるススキが見事にマッチしたその光景は、まさに「貧乏」を絵に描いたようだった。

広島でかあちゃん達と住んでいたアパートは狭かったが、戦後に建てられたものだから新しかったし、当時としては設備も最新だった。

ところが、ばあちゃんの家は広さだけはあるのだが、土間とか竈《かまど》があって、薄暗くて、かえってその広さがうら寂しいように感じられた。

が、よくよく思い返してみると、土地柄としては一等地だった。

県庁の近くだし、佐賀城跡も博物館も美術館もすぐ側《そば》にある。

そのせいか、ご近所にはお金持ちの人が多かった。

裏の家に住んでいたのは、当時ではまだ珍しいピアノの先生だったし、その隣は目医者さん。

少し先には、銀行の支店長さんやバス会社の社長さん、商工会議所の会頭さんと、そうそうたるメンバーが揃っていた。

大きなお屋敷も多く、邸宅街と言っても良かったかも知れない。

そして、今でもつくづく思うのは「金持ちの側で貧乏人になるに限る」ということだ。

治安がいいからボロ家でも安心だし、何よりいろんな物がもらえる。

お金持ちは人からいろんな物をもらうけれど、食べ物なんて人間の食べられる量は決まっているから、必ず余ってしまうのだ。

目医者さんの家からは、しょっ中、お手伝いさんがやって来て、

「これ、いただき物ですけど、食べきれないので」

と、当時はとても高価だったバナナをくださった。

ほかのお宅からも、

「買いすぎたので、腐らせるより食べてください」とか、

「数を間違って買っちゃって」

とか言って、果物やお菓子が気前よく届いたものだ。

貧乏人には「もらい物」は、本当に助かる。

お店でも、ちょっとした「おまけ」がありがたかった。

スーパーに売っているパック商品では無理な話だが、醤油《しょうゆ》や味噌《みそ》もまだ小売店で量り売りしていたから、「おまけ」もしてもらいやすかった。

醤油は、店先の大きな樽《たる》に入っていて、栓を抜くとシューッと流れ出てくるのを瓶で受けるのだが、

「瓶に半分ください」

と言って空き瓶をさげて買いに行くと、まず半分あたりまでシューッと出して

くれて、そこで一旦《いったん》、栓を詰める。

それから、「これは、おまけね」 とことわってから、もう一度栓を抜いて、シュッと少しだけつぎ足してくれた。

「おまけね」と言われると、得した気分になれたし、そのシュッと醬油が出てピタッと止まる様子が、子どもの俺には手品みたいに見えて、すごく面白かったものだ。

味噌も「500グラムください」と行くと、まずは買うだけの重さを経木《きょうぎ》に入れてくれてから、

「これは、おまけね」と、少しだけヘラで上乗せしてくれる。

でも、ばあちゃんはおまけの上乗せだけでは終わらせず、必ずそこに塩を足していた。

「塩ば入れんと、甘かったらすぐなくなる」

って言いながら。

つまり、塩辛くして使う量を減らし、味噌を長持ちさせようという作戦だった

みたいだ。

「おまけ」は、お店の人が家の様子をよく知っているからこそ、のサービスでもあった。

八百屋さんに行くと、

「あ、おサノさんとこのお孫さんね。じゃあ、おばあちゃんがトマト好きだったから、これ食べてみて」

とトマトが一個追加されたり、

「あ、おサノさんのところは鶏がいたね。じゃあ、これは鶏の餌《えさ》に」

と言って、大根の葉っぱをくれたりした。

これは近所の人も同じで、

「昭広くん、これ好きだったわね」

ってお菓子をいただいたり、

「鶏にどうぞ」

ってスイカの皮をもらったりしたものだ。

当時、ばあちゃんの家では、卵を産ませるために五羽ほど鶏を飼っていて、時々ご近所に卵をお裾分《すそわ》けしたから、いろんな人が「鶏にどうぞ」って、野菜クズやなんかを持ってきてくれた。

でも、多分「鶏にどうぞ」の半分は、俺とばあちゃんで食っていたような気がするけれど。

家の事情をよく知っていたという意味では、ばあちゃんが掃除の仕事をして支えている家計は決して楽ではないこと、アラタちゃんという知的障害児を抱えていること、俺という孫を預かっていること、そのすべてを周囲の人が把握していた。

誰も口には出さなかったが、そんな事情を知っていて、気の毒がって物をくれたり、おまけしてくれていたというのもあったと思う。

ばあちゃんはよく、

「人に気づかれないのが本当の優しさ、本当の親切」

と言っていたが、近所の人たちが俺たちにくれたのは、本当の優しさだったと思う。

俺たちに負担をかけないように、

「買いすぎちゃって」とか、

「腐らせるよりも」などと、

「食べてもらうのがありがたい」と言わんばかりの理由をつけて、いろんな物をくれたのだ。

また、ばあちゃんも、わざわざ、

「これは、親切のお礼です」

などと言うことなく、ご近所の分まで家の前を掃いたり、打ち水をしたり、正月には餅を配ったり、自分のできることで、さりげなく感謝の気持ちを表していた。

最近は「隣に誰が住んでいるかも分からない」という人も多く、あれこれ人に詮索《せんさく》されないのが快適なのだと言う。

でも、俺にはやっぱりプライバシーを守るより、ばあちゃん流のあけっぴろげな生活の方が性に合うようで、昨年、佐賀に家を建てて引っ越した。

立派な門など造らず、まるで店のように暖簾《のれん》をかけて、玄関は農家の人が泥の付いたままでも気兼ねなく入って来られるよう土間にした。

以前住んでいたばあちゃんの家からは少し距離があるので、新しいご近所さんばかりだが、それでももう、わが家のあれこれを知った人々が出入りして、賑《にぎ》やかな日々を送っている。

2.「一万人生まれてきたら、何人かは故障すると」

　ある朝、起きてきたばかりの俺は、眠い目をこすりながら、ふと裏庭に目をやった。

「え？」

　何か、見慣れない大きな黒い固まりが、木の幹に寄りかかっている。

　よくよく見てみると、それはぐったりと木にもたれかかっている、ひどく汚い男の人だった。

　髪はずっと洗っていないのか、ボサボサな上、顔にベッタリと張り付いていて、まくれあがったズボンから覗く足も、垢《あか》で真っ黒になっている。

　ぐったりと目を閉じている男の顔を見て、俺は突然、恐怖に駆られた。

　まさか、死んでいるの？

　早く誰かに知らせなければいけないと思ったが、怖くて身体が動かない。

ところが、その時、裏庭をすたすたとばあちゃんが歩いて行った。

「ばあちゃん、危ないよ！　変な奴がいるよー」

叫ぼうと思ったが、ばあちゃんは既に男の存在に気づいている様子で、何食わぬ顔で側まで行くと、

「あんた、誰ね？」

と聞いた。

男は、死んでいるわけではなかったらしく、うっすらと目を開けたが、何も答えない。

すると、ばあちゃんは再び聞いた。

「あんた、泥棒やろ？」

ええ？　泥棒？　俺は、また驚いた。

それは、場合によっては死んでいるより怖い。

貧乏で、別に盗られる物はないが、見つかってしまった泥棒が人を襲うことだって考えられるだろう。

それなのに、ばあちゃんは堂々と「泥棒やろ？」と聞いているのだ。

しかも男は、

「はい」

と答えたのだった！

なんと、本当の本当に泥棒だったのだ!!

が、次にばあちゃんが口にした言葉は、正真正銘、天地がひっくり返るくらいに俺をビックリさせた。

「私は、今は仕事で出掛けないといけないから。良かったら、夕方おいで」

どこの世界に、泥棒を家に招く人がいるだろうか。

しかも、約束までして。

「ばあちゃん、何、言ってんの！」

俺は断固抗議したかったが、ばあちゃんはいつものように、さっさと仕事に出掛けてしまったのである。

泥棒も、いつの間にか裏庭から姿を消していた。

そして夕方になった。

招待するばあちゃんもばあちゃんなら、呼ばれた泥棒も泥棒で、まさかやって来るとは思わなかったのに、ひょこひょこと、今度は玄関先に顔を出した。

どうするのかと思ったら、ばあちゃんは泥棒を上がりかまちに座らせ、大きなおにぎりを出してやった。

泥棒は、黙って会釈すると、ガツガツとおにぎりを頬張る。

ばあちゃんは、その様子をじっと見つめながら、しみじみと言った。

「あんたも、大変ねえ」

「…………」

「うちみたいなとこ入ったって、何も盗る物なんかないよ」

「…………」

「人の家の窓をはずしたり、逃げたりする力があるんなら、働け」

「…………」

「な、市役所に聞いてみろ」

何も言わず、黙々とおにぎりを食べる泥棒。

静かに、諭すように話すばあちゃん。

俺は、家の中からこの様子を、じーんと見守りながら思っていた。

「俺の食べるご飯、残ってるんかなあ？」

そして今、この話をしみじみと思い出しながら気が付いた。

「ばあちゃん、それを言うなら市役所と違って職業安定所じゃない？」

それにしても、泥棒にご飯をあげるだけでなく、仕事の心配までしてやるのだから、お人好しなばあちゃんである。

そう言えば、鶏泥棒の被害に遭ったこともあるが、

「昭広ー、来てみろ。ほら、一番年寄りば盗みよった。うまくないぞー」

怒るどころか、ケタケタ笑っているのだから恐れ入った。

さすがに見るからに貧乏なわが家に泥棒が入ったのは、例のご招待した方ひとりだけだったが、乞食《こじき》はよく来ていた。

今は「乞食」と呼ぶと、差別だと叱られるのかも知れないが、「浮浪者」では当時の雰囲気が伝わらないように思うので、敢《あ》えて乞食と書かせてもらう。

当時は日本中が貧しく、どこの家の玄関先にも、乞食がふらりと現れて、

「何か食べるものはありませんか」とか、

「少しでいいから、お金を恵んでください」

などということが度々あった。

門前払いにした家もあっただろうが、みんなが助け合って何とかやっている時代だったから、余裕があれば、何か出してやる家も割合あったと思う。

ばあちゃんの家には余裕などなかったが、なにしろ泥棒をご招待してしまう人である。

本当に何もない時は、出しようもなかったし、どんな時でもお金をあげるなんてことはできなかったが、おにぎりとか、芋の蒸《ふ》かしたのとか、大概は何か食べ物をあげていた。

それに味を占めて、と言ったら失礼かも知れないが、すっかりばあちゃんを頼

るつもりでやって来る乞食も何人かいた。

「おサノさん、何かなかね？」

と、いつ自己紹介したんだか、名前まで知っている。

しかも、ばあちゃんの方でも「ああ、しずおさん」とか「なっちゃんか」とか、
乞食の名前を知っていて、

「今日は、何もなかよ」とか、

「おにぎりしか、なかよ」

などと優しく答えているんだから、これではもう乞食というより、ちょっとし
た知り合い感覚である。

冗談でなく、乞食にあげてしまったら、本当にばあちゃんや俺の食べる分がな
くなりそうなくらいの貧しさだったので、

「ばあちゃん、うち貧乏なのに、なんであんなに親切にするの」

と聞いてみたことがあった。

ばあちゃんは、ちょっと思い詰めた顔をして、

「好きで、あんなになったわけじゃなし」

と答えた。

それから、

「一万人生まれてきたら、何人かは故障すると」

と付け加えた。

「故障」が「病気」なのか、「不良になること」なのかは分からない。

でも、全員が同じように無事に一生を過ごせるわけではない。

もしかしたらこの時、ばあちゃんの心の中にはアラタちゃんのことがあったのかも知れない。

好きで事故に遭ったわけではないアラタちゃんは、知的障害という故障を背負うことになったが、ばあちゃんの愛情と周囲の人の心遣いで、笑顔で毎日を過ごしていた。

さて、ばあちゃんの優しさは乞食にも伝わっていたらしく、常日頃、何かお返しをしたいと思っていたのだろう。

ある時、「しずおさん」と呼ばれていた、ずんぐりと身体の大きな男が、たくさんの桃を抱えてヌッと現れたことがあった。

「これ、食べてください」

と桃を差し出すしずおさんに、ばあちゃんは、

「どっかで、盗ったんじゃなかと？」

と咎《とが》めるように聞いたけれど、しずおさんは首を横に振って、

「食べてください」

と再度、ばあちゃんに押しつけるようにしたので、ばあちゃんもそれ以上は追及せず、

「ありがとう」

と受け取った。

相変わらずの薄汚れた様子から、とても稼いだお金で買ったものとは信じられなかったが、ばあちゃんはしずおさんの感謝の気持ちを受け止めたかったのだろう。

3.「自分がいちばん分からない。ひとのことはよく分かる」

とうちゃんはいなくて、かあちゃんとも離れて佐賀で育った俺だけど、不思議と孤独感はなかった。

もちろん、かあちゃんが恋しくて、恋しくてたまらなくて、中学生になっても、日記の最後の一行は「かあちゃん、おやすみ」で締めくくる。普通で聞いたらマザコンかと思われそうな俺だったが、それでも「世界中でひとりぼっち」みたいな気持ちになることはなかった。

明るいばあちゃんの愛情のおかげは当然として、近所の人たちの存在が大きかったと思う。

俺には本当のじいちゃんはいなかったけど、近所に松倉さんというじいちゃんがいて、筏《いかだ》の作り方を教えてくれたりした。

俺と友だちが、一生懸命に筏を作っていると、いつの間にか松倉さんのじいち

ゃんがやって来ていて、

「ちゃんと藁《わら》で結ばないと、取れるぞ」

と指導してくれる。

それで、

「じいちゃんも乗せてくれよ」

って一緒になって遊んでくれるので愉快だった。

思うのだが、じいちゃんとかばあちゃんと子どもっていうのは、すごく気が合うんじゃないだろうか。

大人は日々忙しいし、子どものことも「教育者」みたいな目で見てしまうが、一線を退いた老人たちには、そういう気負いもなく、一緒に楽しく遊べる。

松倉のじいちゃんには、よくいたずらも仕掛けた。

じいちゃんの家の庭には柿がたくさん生《な》っていて、それを俺たちが盗るだろうということは、じいちゃんにも分かっていた。

だから、初めから釘《くぎ》をさしていた。

「柿は取ってもいいけど、そこの一つだけは残しておくように」

じいちゃんには絵の趣味があって、見事な柿を一個だけ残しておいて描きたいと思ったようだ。

「はーい」

と元気に答えた俺たちだったが、「残しておけ」と言われれば、取ってしまいたくなるのが、いたずら盛りの人情というもの。

もちろん、他の柿もひとつ残らずいただいた上で、さらに見事な一個についても、じいちゃんの家からは見えない側の半分だけを切り取ってしまったのだった。

数日後。

絵を描いている途中で、日に日にショボショボとしなびていき、ついにはベシャッと地面に落ちた柿を見て、じいちゃんは怒るのも忘れて大笑いしていた。

近所の人って、本当に大切だと思う。

考えてみれば、必死に働いて子どもを育ててきたばあちゃんに、友だちなんていなかったように思うけれど、ご近所さんがいっぱいいたから、よくしゃべり、よく笑っていた。

とにかく、ばあちゃんはお客さんが来るのが好きで、俺の友だちが遊びに来ると、自分たちが食べるのにも困っているのに、

「ご飯、食べていきなさい」

と言って、俺にそっと目配せする。

「昭広、今日はご飯は一膳までね」

という合図だった。

俺の友だちに限らず、誰が来ても、

「あがってくださーい」

って、嬉しそうに家に上げていた。

誰にでもニコニコして、人の悪口を言うのも聞いたことがなかったから、どうしてそういう風にできるのかと思っていたが、ある時、ばあちゃんの言った言葉で納得がいった。

「人間、自分のことがいちばん分からない。ひとのことはよく分かる。
自分では、自分のいいところしか見えていないものだ。
だから、人を嫌うな。
もし、自分を悪く言う人がいても、気が合わんなと思え」
ばあちゃんみたいに優しい人になりたいと思うけれど、なかなかなれない。

4.「二、三人に嫌われても、反対を向けば一億人いる」

俺の夢は、野球選手になることだった。

だから、中学生になった時は、迷わず野球部に入った。

近隣でも有名な強い野球部だったから、練習はメチャクチャ厳しかった。

まずランニングからはじまって準備体操、肩ならしのキャッチボール、ノック、フリーバッティングと続き、連携プレイ、そして最後はベースランニングで締めくくるというのが、毎日のスケジュールだった。

けれども一年生が参加できるのは、最初の肩ならしまでと、最後のベースランニングだけで、あとはひたすら球拾いと、掛け声をかけるだけ。

おまけに早朝のグラウンド整備、練習前の用具類の準備、練習が終わった後は、球集めや後片づけと雑用に追われ、一日が終わるともう、クタクタだった。

先輩のしごきもキツく、チンタラ走ったり、掛け声が小さかったりすると、

「そこ、何やっとるか！」

「声が、ちいさーい！」

間髪入れずに怒声が飛んだものだ。

そんな、ある日のことだった。

いつものように、

「さあ来い、さあ来い」

と、掛け声をかけていると、その声に混じってどこからか、

「ワ、ワー、ワーワー」

奇妙な声が聞こえてくる。

「おかしいな？」

と思いつつも、

「さあ来い、さあ来い」

と続けていたのだが、やっぱりその声に混じって、

「ワ、ワー、ワーワー」

声が聞こえるのだった。

他の部員もおかしいと思いはじめ、みんながバックネットの方をみると……

「アーキロ！」

アラタちゃんが満面の笑顔で手を振っていた。

「やめてくれ」

と言って分かる相手でもなく、その日は最後まで「ワ、ワー、ワーワー」が続いたのだった。

そして先輩には、

「練習にならん」

と苦笑いされた。

練習がキツイだけならまだしも、運動部の常で、先輩から理不尽な扱いを受けることも多く、当初は五、六十人いた一年生も、一ヶ月も経たないうちに半分に減った。

そんな中で、俺はとにかく頑張った。

そして、足の速いのを買われて一年生でレギュラーになり、二年生の夏に三年生が引退すると、なんとキャプテンになってしまったのだ!!

なにしろ普通の野球部ではない。

近隣の学校が注目する、強い強い野球部のキャプテンである。

俺は、たちまち学校中の有名人になった。

そうなると、なぜか必要以上にペコペコする奴が現れてきたのだった。

おかしかったのはある時、俺がグラウンドにいたら、後輩がうやうやしくやって来て、耳打ちするのだ。

「あの、今、アラタさんが来られました」

「は？　アラタ……さん？」

振り返ると、アラタちゃんがグラウンドの金網につかまり、いつもの調子で、

「アーキロー!」

と叫びながら、キャッ、キャッ、と笑っている。

もちろん、俺は言った。

「そこまですんな」

どうも小学校の時、俺がアラタちゃんを守ろうと必死で戦った例の話が、尾ヒレ付きで、そのまま後輩に伝わったらしい。

アラタちゃんを粗末に扱うと、俺に殴られると思ったようだった。

まあ、そんなワケですっかり有名人で恐れられていた俺だったが、そうなると、何もしていないのに悪口を言われたり、意味もなく嫌われることもあった。

キャプテンで番長で、威張っていた俺ではあったが、やっぱり人に嫌われていい気はしない。

「何もしてないのに、どうして悪く言う奴がいるんやろう」

ある日、俺が悔しそうに言うのを聞いていたばあちゃんが言った。

「二、三人に嫌われても、反対を向けば一億人いる。

お前が好きな人がおっても、その人も誰かに嫌われている。

お前もいい人やと言われていても、お前を嫌いな人もいっぱいいる。

世の中、それで成り立ってると」

この、ばあちゃんの言葉に、俺はどれだけ救われただろう。

みんなに嫌われることもないし、みんなに好かれることもない。

そう思ったら、みんなに好かれようと無理することはないんだという気持ちになれて、スッと肩の力が抜けたのだ。

もしかしたら、キャプテンという目立つ立場は、思った以上に、俺にストレスをかけていたのかも知れない。


それから十年近くが過ぎ、ばあちゃんの予言めいた「東へ行け」という言葉に誘《いざな》われた俺は、関西で漫才に出逢い芸人となった。

そして、さらに東へと向かい、東京で一躍有名人になった。

漫才ブームという時代の波に乗って、何十本ものレギュラー番組を抱えるようになった俺には、突然に友だちが増えた。

大して親しくもなかった人たちが、

「よく遊んだよなー」とか、

「仲良かったよなー」

とか言って、毎日のように電話をよこすのである。

今でもよく芸能人が、

「有名になったら、親戚が増えるんですよ」とか、

「いじめられっ子だったのに、急に友だちができました」とか、

嘘みたいな話をしていることがあるが、あれは全部本当だろうと、俺は経験上思う。

そして、そういう人たちというのはまた、売れなくなったら、あっという間にいなくなってしまうのだから、怒るというより呆《あき》れてしまう。

俺の場合も、漫才ブームの衰退とともに、いろんな人が去っていった。

急に友だち面《づら》をしてきた人たちはもちろん、売れているときはペコペコしていたスタッフや、「大好きです」と押しかけてきていたファンまでいなくなる。

全員が全員、そういう人ばかりではないが、寄ってきた人が多かっただけに、去っていく人の数もまた、ものすごかった。

でも、正直俺は、人が言うほどには気にしていなかった。

昔、中学時代にばあちゃんから言われた、あの言葉が心に残っていたからだ。

そして仕事のなくなった俺は、東京にいるのも何だか嫌で、やっぱり佐賀のばあちゃんの家に行った。
二、三日、ただゴロゴロしていた俺に、ばあちゃんは何も聞かない。
ようやく俺が、仕事がないんだとポツポツ話すと、

「ああ、良かったなあ。身体、休めとけ。またいつか忙しくなる」

と笑って言ってくれた。

「でも、ばあちゃん。ファンも減ってきてなあ」

俺は、力無く訴えた。

あまり気にしていなかったと言っても、人気商売のことだ。

若い俺には、焦りもあった。

ばあちゃんは、しばらく考え込んでいたが、やがていつもの明るい調子で口を開いた。

「ファンをいっぱい作るより、芸を磨け。芸を磨いて売れたら、ファンなんてまた、いっぱい来る」

コツコツ、コツコツ、掃除の仕事を続け、コツコツ、コツコツ、周囲の人々の信頼を築いてきた、ばあちゃんだからこそ言えた言葉だったと思う。

「一生懸命」なんて古くさい言葉かも知れないが、一生懸命働いている人に向かって、誰も「一生懸命やるな」とは言わない。

掃除でも、芸能界でも同じだ。

俺は、ばあちゃんの言葉を実践した。

どんな時にも、あきらめなかった。

漫才ブームが去って、漫才ブームがあったことすら知らない世代も増えてきて、それでも、

「まだ、いける」

「まだ、いける」

と思って、しつこく芸人をやってきた。

若い女の子にキャーキャー騒がれることはないが、舞台に立てば大きな笑いをとるし、芸歴も三十年を越えて若手芸人たちが「師匠」「師匠」と大切にしてくれる。

みんな、あきらめなかったお陰だ。

ばあちゃんは七十八歳まで掃除の仕事を続けたのだから、それでいけば俺はまだまだ。

「師匠は、前向きでいいですねえ」

若手芸人と呑むとよく言われるが、当たり前だ。

俺は、過去の栄光にすがる、干からびた芸人になんてなる気はない。

若手に道を譲った時、俺の芸は止まると思っている。

だから飲み会であろうとも、俺が一番はしゃいで笑いをとって、芸を磨いているのだ。

第3章 がばいばあちゃんの、愉快な家事

1.「拾うものはあっても、捨てるものはないと」

「川のとこに、家が欲しか」

喜佐子おばちゃんによると、ばあちゃんは昔からしょっ中、そう言っていたらしい。

だから、じいちゃんが亡くなって間もなく、川の側《そば》にあいた土地が見つかった時は、早速そこに家を建てることにしたのだった。

今の感覚で考えたら、家を建てられるなんて貧乏でも何でもないと思うかも知れないが、昭和十年代の、しかも佐賀の田舎のことだから、今のようにお金がかかることはなかったのだろう。

それに、もしかしたら都会のように賃貸住宅なんて、なかったかも知れない。

さて、話を戻そう。

ばあちゃんは、なぜ川の側に家を欲しがったか。

まずは水の問題が大きかったと思う。

当然、洗濯機なんてなかったから、昔話のおばあさんのように、ばあちゃんは毎日、川で洗濯をしていた。

毎日、風呂に入ることができたのも、川が家の前にあったお陰だ。

裏庭の畑の水やりも、川がなかったら、もっともっと大変だったと思う。

畑といえば、不思議なことに、ばあちゃんの畑で穫れた茄子《なす》やキュウリには、虫が食っているのを見たことがない。

近所の畑では、ときどき虫食いを見たことがあるので、虫がいなかったのではない。

これは勝手な憶測だから、何の根拠もないが、ばあちゃんの野菜に虫が食わなかったのは、もしかしたら川の水が何か影響していたんじゃないかなあと考えたりするのだが……いや、もしかしたら虫も、わが家が貧乏だと思って、食べなかったのかも知れない。

「ここの茄子は食わん方がいいよ、可哀想だから」とか。

それから、川では鉄釜《てつがま》も洗っていた。

竈《かまど》でご飯を炊くので、釜の裏が煤《すす》で真っ黒になってしまうのだが、藁《わら》に灰をつけて磨けば、ピカピカになった。

と、おそらくここまでは、「川のとこに、家が欲しか」と言い続けていたばあちゃんの予定通りだったと思う。

けれど、まだまだ嬉しい誤算があったのである。

ばあちゃんの家の前を流れる幅10メートルくらいの川は、多布施川《たふせがわ》の支流で、佐賀城のお濠《ほり》から続いているものだったが、当時はまだまだ水がきれいで、シジミやザリガニが捕《と》れたのだ。

「わぁっ、いたたたたっ！」

家の前の川で遊んでいた俺や友だちが叫ぶと、すっ飛んでくるばあちゃん。

普通なら、

「足、大丈夫？」

と聞いてくれるはずなのだが、俺たちの足を挟んでいるザリガニをもぎ取ると、

値踏みするように持ち上げて、

「これは、うまそうや」

と嬉しそうに言うのである。

「お前のばあちゃんは、俺の心配もせんと」

と、よく友だちに怒られたものだ。

なにしろザリガニは、家では「伊勢エビ」と呼ばれ、大切な食材として扱われていたので、ばあちゃんの喜びもひとしおだったのだ。

それから、もうひとつの誤算は、とにかくいろんな物が流れて来ることだった。

あまりにもいろんな物が流れてくるので、ばあちゃんは遂に、川面すれすれに一本の棒を渡し、流れてくるものを引っ掛けるという技術を開発した。

流れて来る木ぎれや木《こ》っ端《ば》は、乾かして薪にできる。

下駄などの木でできた物も、同様である。

さらに薪を燃した後は、すぐに壺《つぼ》に入れて消し炭にした。

そして、この川の素晴らしいところは、なんと野菜が流れて来ることだった。

どうやら川の上流に市場があり、まがったキュウリや二股《ふたまた》の大根、それにちょっと傷んだ野菜など、売り物にならない野菜が捨てられるらしいのだ。

「二股の大根も、切って煮込めばいっしょ。

まがったキュウリも、きざんで塩でもんだら同じこと。

半分傷んでいたって、傷んだところだけ切って使ったら同じ」

ばあちゃんは、これらをありがたく頂戴《ちょうだい》し、料理していた。

そんなワケで、俺がばあちゃんの家に預けられた時には、既にこの「川に渡した棒に引っかかっている物を拾い上げる」という作業が日課になっていたのだが、初めは本当に驚いたし、ちょっと恥ずかしかった。

拾うということに抵抗があったし、家の前の道路は学校への通学路だから、みんなに見られるのも恥ずかしかった。

棒に引っかかった、木ぎれとか下駄を、「うんせ、うんせ」と拾い上げているばあちゃんを目撃されて、

「徳永くんとこのばあちゃん、何してるの？」

と聞かれると、はじめの頃はちょっとモジモジしてしまったものだ。

でも、子どものことだから、毎日ばあちゃんが川からいろんな物を拾い上げているのを見たり、手伝ったりしているうちに、だんだん面白くなってきた。

ブリキの玩具《おもちゃ》が流れてくると、得意になって友だちに見せるようにもなった。

「今日は、ほら、こんなん流れてきたぞ」

きれいに洗ったブリキの玩具は、ところどころ剝げてはいるものの、まだ十分遊べる。

友だちも、そういうのを見たら、

「えー? 本当か。よし、確かめに行く!」

ということになって、学校帰りにみんなで家に寄って、引っかかっている物を引き上げたりもした。

多分、まだ田舎の方にまではゴミの回収車が来ていなかったのだろう。

とにかく、あらゆるものが上流で捨てられ、ばあちゃんの家の前に流れ着いた。

古くなった下駄や着物や、空き箱、空き瓶、玩具など人の捨てる物。

それから、木切れや木っ端、木の葉、木の実など、自然に川に落ちた物。

ばあちゃんは、それらのすべてを引き上げ、再利用できるものは使った。

そして、ここがばあちゃんの偉いところなのだが、いらない物を再び川に流すことはせず、河原でたき火をして燃やしていたのだ。

考えてみれば、川の美化運動みたいなものだ。

ばあちゃんのおかげで、川はずい分きれいになったことだろう。

けれど、そんなばあちゃんも生き物の死骸《しがい》だけは、もう一度川に流していた。

「生き物は消えるから」

それが、理由だった。

ばあちゃんは、くわしい地球のしくみなんか知らなかっただろうけど、生き物の死骸が別の生き物の餌《えさ》になったり、腐って川や海の養分になることを言っていたのだと思う。

それから、これは川の話ではないが、ばあちゃんは、出掛ける時は必ず長い紐《ひも》の先に磁石をくくりつけ、それを腰に巻き付けて歩いていた。

そうすると、磁石を引きずって歩くことになり、歩くだけで金目の物が拾えるという仕組みだ。

釘や鉄くずが結構な量くっついてきて、バケツ一杯にためて売ると、割合にお金になった。

「拾うものはあっても、捨てるものはないと」

川に引っかかった野菜や、磁石にくっついてきた戦利品を見ては、豪快に笑うばあちゃん。

ところが、ある時、俺はこのばあちゃんの習慣で顔から火が出るほど恥ずかしい目に遭ったのだ。

どこかへ出掛けようと、バスを待っていた俺とばあちゃん。

やがてバスが来て、俺が先に乗り込んだ。

だが、ばあちゃんがタラップの途中から上がってこようとしない。

「ばあちゃん、どうしたの？」

「昭広、手伝え！」

見るとばあちゃんは、うんうん唸《うな》りながら、腰につけた例の紐を引っ張っている。

「大物だ、昭広！」

そこで俺も一緒になって引っ張ったが、相当、大きな鉄くずでもくっついたのか、さっぱり紐はたぐり寄せられない。

「あの……」

その時、バスの運転手が俺たちに声をかけた。

「磁石が、車体にくっついてるみたいなんですけど……」

本当に恥ずかしかった。

「恥ずかしい」で思い出したが、ばあちゃんの一番下の娘、明子おばさんは、俺が佐賀に預けられた時は、まだ未婚だったにも関わらず、ばあちゃんの家にいなかった。

喜佐子おばちゃんの家に住んでいたのだ。

子どもだったので何とも思わないでいたが、明子おばさんの婚礼の日のことだった。

婚礼衣装でばあちゃんの家に現れた明子おばさんは、頭を畳にこすりつけんばかりに手を突いた。

「お母さん、ごめんなさい。家はボロボロだし、アラタちゃんはいるし、お母さんはトイレ掃除に行っていて、私、恥ずかしくて……すみませんでした」

明子おばさんは、喜佐子おばちゃんのところに、家出していたのだった。

美人揃いと評判のおばさん達の中でも、明子おばさんは際だってきれいな人だった。頭も良かったらしく、勤め先は県庁。

娘盛りの明子おばさんが、ばあちゃんの家に住んでいるのは辛かったのだろう。

さて昨年、俺は佐賀に家を建てて引っ越したが、ばあちゃんにならって、川の側の土地を探した。

今の生活様式に合わせながらも、ばあちゃんの家での暮らしを再現したいと思い、土間や竈のある家を建てた。

残念ながら川は汚れて濁り、シジミもザリガニもいないし、薪になる木っ端も流れてこない。

ましてや野菜なんか、流れ着くわけもない。

洗濯もできないし、風呂の水にもならない。

「うーん、他はともかく、薪くらいはなんとかならんか？」

悩んだ俺は、ひらめいた！

割り箸《ばし》だ！

早速、近所のラーメン屋さんと寿司屋さんにお願いして、お客さんが使い終わった割り箸を譲り受けることになった。

割り箸と言っても侮れず、ご飯を炊くくらいの薪には十分なる。

お店だって、産業廃棄物が減るのだから、願ったり叶ったりだろう。

なぜ、二つのお店にお願いしたかというと、ラーメン屋さんは木の割り箸で、寿司屋さんは竹の割り箸だから、火力が違うのだ。

用途によって使い分けることで、さらに重宝で言うことなし！

よし、大きな薪は買うとしても、日々はこれでまかなえる。

そう思った時、冴えてる俺の頭は、またまたひらめいた！

そして川底の泥を上げ、そこに野菜を植えてみた。

すると、思った通り！

川底の泥は、たっぷり養分を含んでいるらしく、肥料もなくスクスクと野菜が育ったのである。

ことにゴーヤはよく生《な》って食べきれないので、一年分のゴーヤ茶のストックができたほどだ。

さらに嬉しいことには、親しくなった農家の方が、まがったキュウリや二股の大根を玄関先に置いて行ってくれるようになった。

「な？　昭広。拾うものはあっても、捨てるものはないと」

ばあちゃんが、どこかで笑って見ているような気がする。

2.「いちばん食べたいものが、いちばん高級品」

小学校二年生で佐賀に預けられた頃は、本当に貧しかった。

日本中がまだ貧しかったし、細々とひとり広島で居酒屋をやっていたかあちゃんからの仕送りも少なかったのだろう。

ごくたまにではあったけれど、晩ごはんのない日もあった。

晩ごはんの時間になっても、何も出てこない。

「今日は、遅いなー」

と思いながらも、俺はおとなしく待っている。

すると、そんな時に限って、近所の家々は窓を開け放っていて、おいしそうな夕餉《ゆうげ》の匂いが漂ってきたりする。

「あ、隣はカレーかな？」

「こっちは魚を焼いてるな」

今にも涎《よだれ》を垂らしそうに、クンクンと匂いを嗅いでいる俺、

「さあ、うちもそろそろご飯かな」

と思っていると、ばあちゃんは窓をピシャリと閉めて言うのだった。

「さあ、寝よう」

「え？　でも、ばあちゃん、晩ごはんは？」

「晩ごはんはな、毎日食べるものと違う」

ばあちゃんは、きっぱりと言い放った。

そんな話は聞いたこともなかったし、お腹はグーグー鳴っている。

「だって、お腹すいたよ」

「気のせい、気のせい。さあ、はよう寝よ」

さっさと、自分の布団にもぐり込むばあちゃん。

腑《ふ》に落ちないながらも、家の電気を落とされてしまうと真っ暗で、俺も布団にくるまるしかなかった。

そして翌朝。

お腹ペコペコの俺は、ばあちゃんが仕事に行く頃には起き出してきて言う。

「ばあちゃん、朝ごはんは？　俺、ご飯たくから」

「朝ごはん？　昨日、食べただろう」

いやーな予感がしながらも、うなずく俺。

「……？　うん……」

「さあ、はよう学校行け。お昼には、給食、給食。給食食べて、頑張れ」

そしてばあちゃんは、さっさと仕事に出掛けてしまう。

もちろん米櫃《こめびつ》には、一粒の米もない。

俺は仕方なく学校へ行き、給食の時間を指折り数えて待つのだった。

ここまで読んで、なんて意地悪なばあちゃんだと思った人はいるだろうか。

でも、考えてみて欲しい。

「昭広ちゃん、今日は家にはね、食べるものは何もないの。お腹すいたでしょ。ごめんね、おばあちゃんが貧乏なばっかりに」

とか、涙ながらに言われたら、それこそ不幸のどん底ではないか。

「俺は、不幸だ。チクショー、みんな貧乏が悪いんだー!」

などと悔し涙にくれて、俺もそのうち非行に走ったかも知れない。

それに比べて、

「晩ごはんなんか、毎日食べなくてもいい!」

「朝ごはんは、昨日食べたからいい!」

「学校に行けば、給食が食べられる!」

と、元気に笑って言われた方が、ずーっと救われる。

お腹はすいていたけれど、家の中は明るく、笑いが絶えなくて、不幸だなんて考えたことは一度もなかった。

でも、食べるものには本当に困ったから、ばあちゃんは金をかけずに食べていくため、いろんな知恵を働かせていた。

まず、夏を過ぎたころからは、しょっ中キノコを採ってきていた。

持って帰ってくると、新聞紙の上に広げ、

「これは、食べられる」

「これは、毒キノコだ」

と選別を始める。

見ていると、大体、黄色や赤といった派手なのは毒があって、茶色や黄土色などの地味な色のものは食べられるようだった。

ところが、時々、どちらとも判別のつきかねるキノコがある。

すると、ばあちゃんは、

「これは、どっちか分からんねー」

と歌うように言って、俺の前に突き出す。

「お前、先に食べてみろ」

「そんなん、いやや。ばあちゃん！」

「食べんでいい。これは毒だ。アハハハハハ」

俺が驚いていると、さも愉快そうに笑った。

そんな、いつまでも子どものようなところもある人だった。

秋には、よく銀杏《ぎんなん》を拾ってきた。

掃除に行っている中学校に、たくさんの銀杏《いちょう》の木があったので、いくらでも拾えたのだ。

でも、銀杏はうまいが手がかかる。

それに、銀杏の実はとても臭い。

そして、直接触ると手がかぶれる。

だから臭いのを我慢して、手袋を嵌《は》めて拾うのだ。

けれど、苦労して拾ってきても、さらに大変な作業が待っている。

臭い実をとって、種だけにしなければならないのだ。

これももちろん、臭いのを我慢しながら手袋でコツコツとやる。

ようやく全部を種だけにすると、今度は天日に干す。

そして干し上がったら、煎《い》ってようやく出来上がり。

夕飯の支度の合間に煎っては、

「これ、食べ」

と熱々の銀杏を差し出してくれたが、それまでにはこれだけの手間がかかっていたのである。

しかもばあちゃんは、近くに住んでいる嫁いだ娘たちの分まで、コツコツと種を出して、天日に干していた。

本当に働き者だったと思う。

秋といえば、渋柿をよくもらってきた。

干し柿にするのも大変だし、誰も欲しがらない渋柿だったが、ばあちゃんは確か米糠《こめぬか》の中に渋柿を入れていた。こうしておけば、どういう作用なのかは知らないが、数日の後には、甘い甘い、おいしい熟柿になっていたように思う。

もし、家に柿の木があって、渋柿の処分に困っている人がいたら、一度試してみてはいかがだろうか。

それから食べ物ではないが、酒好きの娘婿たちのためには、「どぶろく」を手作りしていた。

俺はもちろん、飲んではいけないと言い渡されていたのだが、ある時、こっそり瓶を開けてみると、いい薫りがするので舐《な》めてみた。

「甘い！」

お菓子などは、そうそう食べられず、甘みに飢えていた俺は、甘酸っぱいどぶろくの味にすっかり魅了されてしまった。

さっそく、ばあちゃんに交渉を試みる。

「ばあちゃん、あれ飲みたい」

しかし、ばあちゃんは首を振る。

「ダメダメ。子どもが飲んだら、お腹が痛くなるから」

「いい！　お腹が痛くなってもいいから、飲みたい！」

俺のあまりの熱意に、ばあちゃんは恐い顔で言った。

「お前、黙って飲んだことあるやろう？」

工夫次第で何でも食べるばあちゃんだったが、ある時、俺はびっくりするような大事件に遭遇した。

「クルップ、クルップ」

庭で聞き慣れない鳴き声がするので行ってみると、二羽の鳩がいた。

伝書鳩らしく、それぞれ足に番号の書かれた脚環を嵌《は》めていたが、どうやら迷ってしまって帰れなくなったらしい。

人なつっこいので可愛くなってしまった俺は、給食のパンを少し残しては持ち帰り、鳩にやるようになった。

「ほら、ほら、パンクズだぞー」

「クルップ、クルップ、クルルルル……」

呼べば嬉しそうに飛んできて、パンクズをついばむ。

俺は、すっかり鳩がお気に入りになって、学校が終わると、すっ飛んで帰って来た。

「おーい、今日もパン持って帰って来てやったぞー」

ところがある日、どんなに呼んでも鳩たちは現れなかった。

「おかしいなあ」

思いながら、ふと鳩の餌入れにしていた空き缶を覗くと、輪っかがふたつ入っていた。

鳩の脚環だった。

「まさか」

と俺は思った。

「いくら何でも」

でも、予感は的中していた。

「クルップ、クルップって、あんまり、うるさいから食べたよ」

悪びれずに、ばあちゃんは言った。

「でも、あんまり身がなかったと」

農家では、しょっ中、鶏を絞めていたし、家でもお客さんが来たら絞めることはあったので、ばあちゃんにとっては同じようなものだったのだろうが、

「クルップ、クルップ」

という、あの可愛い声を思い出すと、ちょっと寂しかった。

多分、その事件が俺の心の奥底にこびりついていたのだと思う。

それから数年後、飼っていた犬のコロの姿が見えず、首輪だけが残っていた時、俺は顔面蒼白《そうはく》になった。

もちろんコロはちょっと脱走していただけで、すぐに帰って来たのだが。

よく考えれば、まさか犬を食べるはずはなく、おかしくなった俺は、

「もしかして、ばあちゃんが食べたかと思った」

と冗談めかして言ってみた。

するとばあちゃんは、真剣な顔で、

「あんまりキャンキャン吠えると、食べるよ」

とコロに脅しをかけたのだった。

そのせいかどうか、コロは亡くなるまで大人しくていい犬だった。

こうして苦労して、七人の子どもと俺に食べさせてきたばあちゃんは、晩年、

お金に不自由しなくなっても、ずっと粗食だった。

それで九十一歳まで、健康で長生きしたのだから、最近ときどき聞く、「粗食が身体にいい」というのは、本当だろうと思う。

こう言っては何だが、お金持ちの人の方が早く亡くなっている気がする。

たくさん食べると、内臓もたくさん使うから、早く悪くなるんじゃないだろうか。

粗食で思い出したが、ばあちゃんのオリジナル料理はすごかった。

ジャガイモとタマネギを煮ただけの「肉じゃがの肉ぬき」はともかく、「卵かけご飯の卵ぬき」は、ただの醤油かけご飯なのだが、

「な？　似てるだろう」

ばあちゃんは、嬉しそうに頬張っていた。

それから「特製チャーハン」というのもあったけど、これもご飯とタマネギを炒めただけ。

でも、竈で炒めるので、香ばしくておいしかった。

「いちばん食べたいものが、いちばん高級品」

というのが、ばあちゃんの口癖で、

「うまいから高いんじゃない。品物が少ないから高いだけ」

とも言っていた。

確かに俺もここ最近、ちょっと年をとってきたせいか、肉みたいな油っぽいものよりも、昔、ばあちゃんが作ってくれたようなメニューが好みになってきた。

「ゴボウのきんぴら」とか「高菜の油炒め」とか、そういう素朴な味がすごく美味しいと感じる。

そういう時は、やっぱりステーキを食べさせてもらうよりも、きんぴらの方がご馳走なのだ。

それに最近は、何でも豊富にありすぎて、驚きがなくなってしまったので、かえって、

「あれが食べたい」

「これが食べたい」

と思わなくなっているようにも感じる。

その点、昔は何もなかったから、新しい物が登場すると新鮮だった。

ウスターソースというものを初めて見た時の驚きは、今でもはっきりと覚えている。

「これが、ソースばい」

真新しいソースの瓶をちゃぶ台の真ん中に載せて、ばあちゃんと俺はゴクリと唾《つば》を飲んだ。

まずは、皿にソースをチョロリと出してみる。

瓶から、醤油のような茶色い、でも醤油よりはちょっと濃厚な感じの液体がトロリと流れ出て、今まで嗅いだことのない複雑な匂いがプーンと漂った。

どうやって食べればいいか分からないので、指先につけて舐めてみる。

「あー、アメリカ人ば」

ばあちゃんが言った。

「うん、アメリカだ」

俺も深く頷《うなず》いた。

そして、ひとしきり舐め終わると、新しい体験について、

「あーでもない」

「こーでもない」

と、一時間も語り合った。

とても楽しい思い出だ。

3.「家の中で動くのはお前だけ」

突然、視線を感じた。

視線の先を辿《たど》ると、そこには、ばあちゃんがいた。

「ばあちゃん、何、見てるの？」

俺が聞くと、ばあちゃんは、

「家の中で、動くのはお前だけだから」

と答え、またじーっと見つめるのだった。

ばあちゃんの家には、まだテレビもなかったから、やることがないような夜は、俺を眺めているのが一番の娯楽だったらしい。

そう言えば俺も、何もすることがない時は、ばあちゃんにくっついて、ばあちゃんのすることを眺めていた。

ばあちゃんは、人から頼まれることもあるくらい縫い物が上手だったから、針仕事なんかを見ていると、案外楽しかった。

ばあちゃんの器用な手が針を動かし、チクチクと布を縫っていくと、俺の小さな丹前《たんぜん》くらいなら、ひと晩で、みるみるうちに出来上がってしまう。

「ほら、着てみろ」

差し出された丹前を着てみると、ほわっと温かくて幸せな気分になれた。

とは言え、俺もだんだん大きくなるし、針仕事ばかり見ていても、そう変化もなく、飽きてくる。

学校では、小学校三年生くらいの頃から、テレビの話題が増えはじめていた。

家にテレビがないので、「力道山《りきどうざん》」と言われても、俺には何のことか分からなかったが、生来、お調子者だったのだろう。

「うん、すごいよなー」

などと、なんとなーく話を合わせて、仲間はずれになることもなく過ごしていた。

けれど、それにも限界はある。

そこで四年生になってからは、俺は夜道を二十分もかけて歩き、喜佐子おばちゃんの家へテレビを観せてもらいに行くようになったのである。

そして、ようやく「力道山」がプロレスラーの名前であることも分かり、話にも加われるようになったのだ。

けれど、中学生になるとクラブ活動で帰りが遅くなったし、疲れているから喜佐子おばちゃんの家まで行くのもだるいと感じるようになった。

でも、一度覚えたテレビの味は忘れられるものではない。

そこで俺は、ばあちゃんにテレビをねだった。

「ばあちゃん、テレビ買って」

答えは、ひと言だった。

「そんな金、ない」

毎日のように、

「テレビ買って」

を繰り返したが、返事はいつも同じだった。

ところが中学三年生になったある日、もう暗くなった道を帰ってくると、一緒に歩いていた後輩が突然、叫んだ。

「先輩、あれ！」

後輩の指さした先には、相変わらずボロいわが家のトタン屋根があり、その先には、アンテナが立っていた!!

俺は、慌てて家に駆け込んだ。

靴を脱ぐのももどかしく、玄関から呼びかける。

「ばあちゃん、テレビ買ってくれたん？」

ばあちゃんも、家からバタバタ飛び出してきた。

「いいや。まずはアンテナだけ」

「え――――――っ!!!」

まさに、これが日本一の「え――――――っ!!!」だった。

が、さすがにそれは嘘で、注文はしたものの、テレビは三週間くらい後で来るのだと、ばあちゃんは笑った。

「三週間もかかるのか」

待望のテレビだっただけに、俺はガッカリしたが、届いてみてビックリ！

それまで見たこともないような最新式だったのだ。

何がすごいって、画面に扉がついていて、扉を開けるとスイッチが入り、閉めるとスイッチが消えるのだった。

面白くて、何度も開け閉めして叱られたのは言うまでもない。

どうやらばあちゃんは、後になるほどいい製品が出ると読んでいて、テレビを買うタイミングを見計らっていたようだ。

テレビに限らず、ばあちゃんの家には家電製品というものが、ほとんど見当たらなかった。

洗濯機はなく、川で手洗い。

ガスコンロはなく、竈で煮炊き。

掃除機もなく、はたきと箒《ほうき》と雑巾《ぞうきん》。

徐々に広がりつつあった便利な機械は、どれもばあちゃんの家には存在しなかった。

それでも、俺がドロドロに汚して帰るユニフォームはいつも真っ白に洗濯されていたし、家の中にはチリひとつなかった。

ばあちゃんって、すごかったんだなあと改めて感心する。

第4章　がばいばあちゃんの、笑顔の哲学

1.「世間に見栄はるから死ぬ。うちはうちでよか」

唯一、仕事が休みの日曜日。

ばあちゃんは、毎週六時起きでお寺さんに説教を聞きに行っていた。

俺も時々は、おやつの煎餅《せんべい》目当てでくっついて行ったが、毎週日曜日に六時に起きるなんて、とても無理だった。

ばあちゃんは信心深いというのもあったが、早くに亡くなったじいちゃんを祀《まつ》るという気持ちが大きかったのだと思う。

家にいる時も、暇さえあれば仏壇の前にいた。

毎日、仏壇に炊きたてのご飯をお供えしていたし、月命日ともなれば、貧しいながらもお菓子や果物を供えてお祀りした。

そして長い間、仏壇の前でブツブツ何か唱えていた。

「じいちゃんに、いろいろ話すことがあるんだなあ」

ふたりの永遠の愛を感じながら、ちょっと盗み聞きしてみたのだが……。

「ナムアム、ナムアム……自分だけ天国に行って楽しんで。ナムアム、ナムアム……私は朝から晩まで働かして……ナムアム、ナムアム……」

うーん、聞かない方が良かっただろうか？

でも、誰にも言えない愚痴を、天国のじいちゃんにぶつけていたんだろうなと思う。

ばあちゃんにとって、

「ナムアム、ナムアム……」

というのは、もう口癖みたいなもので、仏壇の前にいなくても、まるで鼻歌のように口ずさんでいた。

「ナムアム、ナムアム……」

と唱えながら、鍋や釜を洗っているのはいつものこと。

歩きながらも、

「ナムアム、ナムアム」

と、道ゆくお遍路さんみたいにブツブツやっていて、いきなり、

「ナムアム、ナムアム、ナムアーム……あっ、豆腐屋さん！　お豆腐一丁くださーい！」

なんて呼び止めるものだから、豆腐屋さんも面食らっていた。

さすがに、

「ナムアム、ナムアーム……」

と言いながら、鶏をキュッと絞めた時は、

「そんな殺生な！」

と思ったが、あれは鶏への供養の気持ちだったのだろうか。

じいちゃんを祀りつづけていたばあちゃんは、新聞で自殺の記事を見ると、真顔で怒っていた。

「贅沢《ぜいたく》もん！」

と、ひとり呟《つぶや》きながら。

「世間に見栄はるから死ぬ。うちはうちでよか」

というのが、ばあちゃんの持論だった。

世間さえ気にしなければ、自殺する人なんかいなくなるというのだ。

最近の四十代、五十代の自殺者のニュースを見ると、ばあちゃんの言っていたのももっともだと思う。

中小企業の社長かなんかをやっていて、事業に失敗。

でも、家は売りたくない。

車も売りたくない。

世間体が悪い。

だから、自殺。

なんて、遺《のこ》された家族はどうなるのだ？

ばあちゃんみたいに、じいちゃんに病死されたとか、事故で亡くなったとか、そういう理由なら涙を乗り越えて頑張るよりないが、自殺なんてされたら、立ち直れるものも立ち直れない。

もうダメだと思ったら、従業員に話せばいい。

「こうなったけど、また一から頑張ろうと思います。今まで通りのお給料は払えないけれど、一緒に頑張ってもらえませんか」

正直に話して、みんなで真剣に話し合えば、いい知恵だって出てくるかも知れない。

今までは、社長が決断していたから口を挟まないで黙々と働いていた運転手だって、実はすごいアイデアを持っている可能性があるのだ。

それにきちんと話し合えば、従業員だって仕事を失うのは辛いから、

「じゃあ立ち直るまでは、俺たちも給料は半額で協力します」

と言ってくれる人も出てくるに違いない。

それを「社長だから」なんて威張って、頭を下げることを知らないから、すぐに「死ぬしかない」と思ってしまうのだ。

家族に対しても同じだと思う。

「とうちゃんは失敗した。でも、一から頑張るからな。みんなで、またアパート

から始めよう」

真剣に話せば、子どもだって、狭い家は嫌だとか、小遣い減らすななんて言うわけがない。

むしろ、

「とうちゃんは、社長だ」

なんて威張って、ろくろく顔も合わせず、小遣いばっかり与えている時よりも、家族の絆《きずな》は深まると思う。

俺も長く芸能界にいるが、芸能人にも世間体ばっかりの人がいる。

「自分は芸能人だ」「人気者だ」と鼻を高くして、付き合う相手も芸能人ばかり。

しかも、待ち合わせでお店に入っても、

「あ、後で連れが来ます」とかじゃなくて、

「あ、後で○○さんが来るので」

と、わざわざ有名人の名前を出して、お店の人に有り難がらせようとする。

けれど、こういう人に限って人気は二～三年しか続かない。

彼らがその後、どうしているかは知らないが、「芸能人だった」という世間体ばかり気にしていたら、幸せな人生は送れていないんじゃないだろうか。

「裸で生まれてきたという意味を分かっていない」

これも、ばあちゃんが言っていた言葉だ。

そう、人間、生まれてきた時は身ひとつ。

何も持っていなかったのだ。

本当言うと、中学生くらいまで、自分では何も持っていない。

親が与えてくれていただけだ。

だから事業に失敗しようが、家を失おうが、元に戻っただけのこと。

命さえあれば、やり直せるのだ。

明治生まれで二度の大戦をくぐり抜けてきたばあちゃんが、いろんなものを失いながら、自分に言い聞かせてきた言葉だったのだと思う。

俺たちは戦争を知らない。

もっと若い世代なら、多分、本当の意味での貧困を知らない。

身ひとつで生まれ落ちた先が、今の日本だったことを、まずは感謝するべきだと思う。

戦争中の国や、飢餓に苦しむ国に生まれて、生まれながらに苦境に立たされる人も大勢いる。

それに比べたら、不景気なんてちっぽけな話だ。

ちょっと話は飛ぶのだが、俺は核家族化というのは大きな間違いだったと思う。

とうちゃん、かあちゃん、じいちゃん、ばあちゃん、そして子どもたちという大家族が、やっぱり一番だ。

かあちゃんに叱られても、ばあちゃんに泣きつけるし、とうちゃんとうまくいかなくても、じいちゃんになら理解してもらえるかも知れない。

夫婦と子どもひとりなんて、子どもが追いつめられるばかりだ。

行き場を失って自殺する子どもは、本当に可哀想だと思う。

そういう意味では、どんどん進んでいるという少子化も不安材料だ。

ひとりだけに一生懸命愛情をかけて育ててきて、もし、その子が不良になったり、さらには事故に遭って死にでもしたらどうするのだ。

その子だけに愛情を注いできた親は、もう立ち直れないに違いない。

子どもが五人いようが六人いようが、ひとりに何かあった時の悲しみが薄れるとは思わないが、それでも他にも子どもがいれば、少しは気も紛れるだろう。

だから、若い人にはせめて二人くらいは、子どもをつくって欲しいなあと思う。

2.「何飲んだって、同じことくさ」

「なんかゾクゾクする。ばあちゃん、風邪ひいたみたい」

俺がガタガタ震えてそう言うと、ばあちゃんは薬箱から正露丸を取り出した。

風邪で朦朧《もうろう》としながらも、さすがにおかしいと思った俺は指摘する。

「ばあちゃん、正露丸は胃腸薬やろう」

しかし、ばあちゃんは、そんな言葉には動じず、コップに水を汲んでくれて差し出した。

「何飲んだって、同じことくさ」

薬なんか、何を飲んだって同じ!?

今、流行の健康番組が聞いたら怒りそうな乱暴な話である。

せっせと新薬を開発している医薬品メーカーにも叱られてしまいそうだが、昔の話なので、時効ということで許して欲しい。

つまり、ばあちゃんは薬に頼らない人だったのだ。

俺は八年間、佐賀にいて、ばあちゃんが風邪をひいたのを見たことがなかったし、俺にしても風邪はたまーにひいたが、あとは腹痛くらいしか起こさなかった。

だから、常備されていたのが正露丸だったのだろう。

ちなみに以来、今でも、俺は正露丸を常備している。

こんなこともあった。

はしかで熱が出て、俺はうんうん唸《うな》っていた。

体温計を見ると、38・2度。

幼い俺は、その数字だけで心細くなってしまう。

だが、ばあちゃんは体温計をじっと見つめると力強く頷いた。

「よし、大丈夫。お前なら、40度は出せる」

一瞬、熱って高い方が勝ちなのかと思ってしまった俺だった。

このように、ばあちゃんは身体に過保護になり過ぎない人だった。

七十八歳まで現役で働いたばあちゃんだったが、実は六十五歳の時、市役所の人がやってきて、

「おばあちゃん、ぼちぼち定年ですね」

とおっしゃったらしい。

掃除婦といえども、佐賀大学の準職員的な立場だから、市の管轄なのである。別に理不尽な解雇なんかではなく、正当な言い分なのだが、ばあちゃんは頑として首を縦に振らなかった。

「いいえ。私はお金がもらえなくても毎日、行きます。身体のために。どうぞ、クビにするならしてください」

そう言われても、毎日、掃除に来られたら、給料を払わないわけにはいかないではないか。

でも「身体のために」というのは、よく言ったものだと思う。

ばあちゃんは、よく寝ることが最大の健康法だと信じていたのだが、

「汗水たらしたら、よく寝れる」

と言って、身体を動かすことを苦にしなかった。

バスで三十分もかかるようなところにも、二時間かけて歩いて行ったたし、仕事の行き帰りと掃除で、毎日、軽く6キロは歩いていた。

言われた通り、六十五歳で仕事をやめてしまっていたら、スポーツ選手と同じで、急に身体がなまってしまったに違いない。

ばあちゃんは、九十一歳で天寿を全うしたのだが、晩年の二年ほどは寝たり起きたりの繰り返しだった。

ある日のこと。

お見舞いに行くと、

「早く、お迎えに来て欲しい」

珍しくしおらしく言うので、

「ばあちゃん、そんなこと言わないで、もっと長生きしてよ」

と励まして家を出たのだが、ちょっとした忘れ物を取りに戻ってみると……

「一、二、三、四、……」

そこには鉄アレイを手に、筋トレに励むばあちゃんの姿があった。

本当に、どんな時でも身体を動かすのをやめない人だった（？）。

俺は最近、ばあちゃんがよく歩いていたことを思い出して、健康のために一日5～6キロ歩くことにしたのだが、これが本当によく眠れる。

それから肝臓もきれいになったらしく、酒が翌日まで残ることが少なくなった。

病気の敵は、身体を動かすことなんだなあと改めて思い、昔の暮らしの方が健康に良いところがいっぱいあったんじゃないかと考える今日この頃である。

例えば、日本食は塩分が多いと敬遠する人がいるが、運動さえしていれば、多少、塩辛いものを食べたって平気だ。

まあ、これについては昔の塩と今の塩の違いも大きいと思うが。

それから、粗食。

ばあちゃんは、

「腹八分目は嘘ばい。腹七分目がよか」

と言っていたものだ。

もっとも、

「身体のために、少な目に食べてるの？」

と聞いたら、

「違う、お金がなかばい」

と威張って答えていたが……。

あとは、暖房や冷房も完備し過ぎだ。

子どもの頃、寒くて眠れないでいたら、ばあちゃんが、

「腕立て伏せしろ」

と言うので、二十回ほどやってみたら、身体がポカポカしてきて驚いたものだ。

それですぐ布団に入ったら、寒い冬でもよく眠れた。

「暑い」とか「寒い」とかうるさく言って、空調を整えて身体を甘やかしている
から、どんどん弱くなってしまうんじゃないだろうか。

3.「悲しんだらあかん。逝《い》かれん」

突然だが、わが一族の葬式は明るい。

仏さんの横で、酒を飲んで思い出話に花が咲くところまでは、田舎ならどこにでもある光景だろうが、話が盛り上がってくると、

「ねー、そうやったよねー」

寝ている仏さんのところまで、同意を求めに行くのだから困ったものである。

そして、死に顔を見ているうちに辛くなるのだろう。

「わーっ」

と泣き伏して、誰かに宴席まで戻されるのだが、しばらくするとまた誰かが、

「そう、そう。そんなこともあったよなー」

などと、お猪口《ちょこ》片手に仏さんの枕元に座り込んでいる。

「ワハハハハ」

と笑っては、仏さんにまで相づちを求めに行き、

「わーっ」

と泣いては、誰かになだめられる。

延々、それの繰り返しである。

そして、ある時突然、誰かが、

「歌おう」とか、

「踊るよ」

とか言い出すのである。

こうなったが最後。

手拍子をとって歌い出したり、みんなで立ち上がって踊り出したりの大騒ぎになる。

もともと、カラオケで歌おうという時も、

「奥さんから、どうぞ」

「いえ、いえ。私は結構」

なんて遠慮の全然ない一族で、我先にマイクを奪い合っているのだから、葬式会場は、一体どこの国のお祭りだというくらい、賑《にぎ》やかになってしまう。どのくらい賑やかかと言うと、一族の席では俺が一番目立たないくらいだと言えば、分かってもらえるだろうか。

「悲しんだらあかん。逝かれん」

小さい頃からそう言われてきた俺は、明るく故人を見送るのが、礼儀だと思っていた。

だから、大人になって親族以外の葬式に列席した時は驚いた。

まるでドラマで見た葬式のように、しめやかで、静かで、笑う人など誰もいず、泣く時もハンカチでそっと目頭を押さえたりする。

俺だったら、あんなに悲しまれたら、後ろ髪を引かれて天国に行けないと思うのだが、いかがだろうか。

その点、芸人の葬式は、うちの雰囲気に近い。

わが師匠・島田洋之助の葬式も、とても賑やかだった。

「洋之助師匠は、麻雀《マージャン》が好きやったな」

西川きよし師匠の一言で、突如始まった追悼麻雀大会。

俺たちは師匠の仏さんの横に麻雀卓を運び込み、朝まで酒を飲みながら、

「リーチ！」

「ポン！」

と大騒ぎを続けたものである。

言うまでもなく、ばあちゃんの葬式も賑やかだった。

公民館を借り切っての大宴会は、今でも語りぐさになっているが、もっとすごいのは、ばあちゃんの場合、九十一歳で亡くなった後も、生誕百年祭だの何だのと言っては、ばあちゃんの話を肴《さかな》に大宴会が催されることである。

そういう場では、必ずアラタちゃんの話も出て、

「あんな、おかしなことをした」

「こんなことをされて、びっくりした」

と、みんなでひとしきり笑い合う。

そして、親戚一同みんなが言うのだ。

「今となっては、あんたがアラタちゃんの代わりさい」

俺とアラタちゃんは、落ちこぼれ二人組としてよく対比される。

親族はみんな、公務員とか大企業とか堅い職業について安定しているので、見ていて面白いのは、あとは俺だけということらしいのだが、ちょっと複雑な気分だ。

アラタちゃんは、頭を強く打って知的障害になったのだから仕方ないけれど、俺は別に事故にも遭っていないのに……。

日本のごく一般的なしめやかな葬式に、ビックリ仰天させられた俺だったが、ばあちゃんは見栄ばっかりの結婚式にビックリしていた。

というより、呆れて怒りさえ覚えていたようだ。

まずは「ご祝儀」の額だが、まるで約束事のように、

「息子の時、三万円もらったから三万円」

などと決めているのが、我慢ならないようで、

「お祝いは、気持ちであげるもの。包める額でいいんだ。相場なんか関係ない」

と憤《いきどお》っていた。

最近、女性誌なんかで特集している、

「二十代同僚なら三万円が相場です」

なんて記事を読んだら、目を三角にして怒ったに違いない。

一度、グアムで知人の結婚式に参加したけれど、お祝いなんて本当に気持ちでいいみたいで、2ドルの人がいれば100ドルの人もいる、花束だけの人がいれば、綺麗なレイを持ってきた人もいる、みたいな感じだった。

あれなら気軽にお祝いに来れるから、友人知人が三百人ほども集まって、賑やかないい式だったと思う。

それから、ばあちゃんは新郎新婦に何の関係もなさそうな、なんとか取締役とか、どこかの社長が一番いい席に座っていることも理解できなかったようだ。

「親の見栄で呼んでいるだけ。第一、気持ちで挨拶していたら、紙はいらんば

い」

と容赦ない毒舌を吐いていた。

確かに、そういう列席者には挨拶を頼まれる人も多いが、みんな紙に書いてきた文章を読んでいる。

あがってしまうのが心配で、ちょっとメモを用意するくらいならかわいげがあるが、堂々と紙を広げて読み上げているのは、ちょっと新郎新婦に対して失礼じゃないだろうか。

それから、新郎新婦の経歴を聞くたびに、

「みんなが優秀なわけはなか」

と苦笑いしていた。

あの経歴を聞いていると誰もが誰も、小学校からずーっと優秀な成績を貫き、男はスポーツマンで女性はおしとやかで、そして明るくみんなに好かれる人柄でした。

みたいなものばかりなのだから、真実味に欠ける。

あれではかえって、全然その人の良さが出ていないと思う。

「葬式は来たい人が来るのに、結婚式だって来たい人に来てもらえばいい」

そう言っているのを聞いた時は、なるほどなあと思ったものだ。

だから家出のまま、なし崩し的に結婚した俺だったが、いつか結婚式をやるなら、誰でも来られる楽しいものにしようと思っていた。

そして、長い間心配をかけ通しだった義父が、もう長くないと医師に言い渡された八年前、

「B&Bの漫才を生で見たい」

と言い出したことから、その計画は始まった。

歌ならどこでも聞かせられるが、漫才となるとお客さんがいなくてはできない。

そこで俺は、二千人規模のホール、佐賀文化会館を貸し切りにして舞台をやることにしたのだ。

阪神巨人、いくよくるよなど、たくさんの芸人に出演を依頼し、チケットを販

売すると、昔の同級生が協力してくれて、あっという間に二千枚が完売した。

どうせ義父のためにやるなら、ということで、漫才を見てもらった後は、結婚式の衣装に着替えて嫁さんと一緒に登場。

漫才の後の余興という感じで、結婚式をやらせてもらうことにした。

ずい分遅くはなったが、大勢の人に祝ってもらえて、とても嬉しかった。

その場にばあちゃんがいなかったのが残念だったけれど、昔、心に誓った通り、ばあちゃんの意見を存分に取り入れた結婚式になったと思う。

4.「死ぬまで夢を持て！　叶わなくても、しょせん夢だから」

鍋島藩の乳母までつとめるようないい家に生まれて、美人で頭も良くて、順《じゅん》風満帆《ぷうまんぱん》だったばあちゃんの人生。

でもそれは、じいちゃんの死と敗戦、さらにアラタちゃんの事故によって、空しくも砕け散ってしまった。

「思うとおりにはいかん」

くさっている俺に、ばあちゃんはよく言ったが、思えば本当に重い言葉だった。

でも、もし、ばあちゃんがずーっと裕福なままだったら、俺がこんな本を書くような面白いばあちゃんにはなっていなかったと思う。

また、ばあちゃんが生まれた時から、ずーっと貧乏でも、こういうユニークな考え方は生まれなかったんじゃないだろうか。

特に優れていたとか、いい人だったという訳じゃなくて、お金持ちとどん底の貧乏の両方を体験したことで、あの、みんなに愛される魅力的なばあちゃんになったのだと思う。

本人は大変だっただろうが、自然と素晴らしい体験をして、考え、悩み、開き直ってコツコツと積み上げてきたのが、ばあちゃんの人生だった。

そんな、ばあちゃんが遺《のこ》してくれた中で、俺が一番好きな言葉がこれだ。

「死ぬまで夢を持て。叶わなくても、しょせん夢だから」

失敗しても落胆するな。

あきらめるな。

という、ばあちゃんからのメッセージが伝わってくる一言だ。

ばあちゃんは、いい方向に向かおうとしてやったことなら、どんな結果になっても失敗ではないと、言っていた。

そう言ってもらえると、

「失敗しても、いいんだ」

と、勇気が湧いてくる。

それから、

「いいことをやろうとして失敗しても、悪い人じゃなか。恨むな」

とも言っていた。

「最初から騙《だま》そうとして、それがばれた人だけが悪人だ」と。

例えば、こんなことはないだろうか。

数人で、どこかの場所を目指している。

道に迷った時、ひとりの人が地図を睨《にら》み付けて悩んだ末、

「こっちじゃないかな」

一本の道を指さして言う。

異論を唱える者はなく、みんなでゾロゾロとそちらへ歩いて行ったが、ひどい回り道になって目的の時間にたどり着けなかった。

「お前のせいだ」

一本の道を選んだ人を、そう言って責めるのは間違いだということは、誰にも分かるだろう。

彼は、道に迷わせようと思って選んだわけじゃない。

それどころか、誰よりも熱心に地図を見ていた。

そして誰も、彼の選んだ道を行くことに反対しなかったのだから。

比喩《ひゆ》的な話になってしまったが、何だって同じことだ。

グループ研究がうまくいかなかったからって、みんなを引っ張っていったリーダーを責めるのはお門違いだ。

先頭に立って、一生懸命事業をやっていた人を、倒産したと言って責めるのは間違いだ。

人生は、思うとおりになんていかない。

失敗して、当たり前なのだから。

これは長い苦労の末に、ばあちゃんがたどり着いた結論だったのだろう。

そして、それでいて、

「夢を持ちつづけろ」

と言うことができたばあちゃんは、俺の誇りだ。

最近、時々思う。

子育てにかかりきりで、自分のことなんか後回しだったばあちゃんの夢は、何だったのだろう。

いや、ばあちゃんにとっては、あの苦しい状況から、子どもたちを立派に育て上げることが夢だったに違いない。

「今日、明日のことばかり考えるな。

百年二百年先のことを考えろ！

孫や曾孫《ひまご》が五百人くらいできて、

楽しくてしょうがなか」

ばあちゃんの夢は、きっと叶う。

ちなみに、俺の一生の夢はプロ野球の選手として試合に出場することである。

先日も、バーで懇意にしている野球選手に会ったので、

「ライトでいいから、一回だけ守らして。ボールが飛んでさえ来なかったら、迷

惑にならないし、俺でもいいやろう？」

と夢の実現を懇願しておいた。

ばあちゃんもきっと、草葉の陰から応援してくれていることだろう。

5.「金、金と、言うんじゃなか。一億円あったって、金魚一匹つくれんばい」

毎年、春と秋に佐賀城跡の近くにある松原神社で「日峰さん」と呼ばれるお祭りがあった。

「日峰さん」が近づくと、参道には祭りの飾りが施され、ちょうちんが吊られ、町中がなんとなく、そわそわと浮き足だった、落ち着かない気分になる。

もちろん俺も、そわそわうきうき、祭りの日を待った。

子どもにとっては、祭り＝夜店である。

何日も前から、「何で遊ぼう」「何を食べよう」と、その時ばかりは計算に弱い俺も、少ない軍資金の有効な使い道を頭をひねって考えたものだ。

でも、実際にやったり、食べたりできるものが少なくても、夜店で華やいだ境《けい》内《だい》を歩くだけでも十分楽しかった。

金魚すくい、ヨーヨー釣り、わた菓子、りんご飴《あめ》……何もかもが楽しそうで、おいしそうで、あの頃の縁日と言えば多分、今のディズニーランド以上のときめきがあったと思う。

パン、パン！

空からこぼれ落ちてきそうな、色とりどりの大きな打ち上げ花火にも目を見張った。

いつも、ばあちゃんとアラタちゃんと俺の三人で、はぐれないよう仲良く手をつないで歩いていたのだが、一体いつ、どういう仕掛けでそうなるのか。

知らないうちに、アラタちゃんがイカの丸焼きとか、焼きトウモロコシを持って、嬉しそうに頬張っているのには困った。

「どこで、盗った？」

と聞いても、

「ハ？」

なんて、ニタニタ笑っていて埒《らち》が明かない。

今さら返そうにも食べてしまっているし、お金を払おうにもどこの屋台かも分からない。

結局は雑踏に押し流されるようにして、

「もう、よか、よか」

ってことになってしまうのだった。

まあ、年に二回の祭りのことだ。

不思議なほど、いつ盗っているか分からなかったので、神さまからアラタちゃんへのプレゼントだと思うことにしていた。

さて、ばあちゃんの視点は、祭りに行っても一風変わっていた。

金魚すくいの屋台で、金魚の泳ぐのをじーっと見ながら、

「な、昭広。金、金、言うんじゃなか。一億円あったって、金魚一匹つくれんばい」

と言うのだった。

その時は、

「当たり前だろう」

と思っていたが、考えてみればすごいことだ。

どんな大企業に大金を積んでも、生命はつくれない。

最近、ロボットのペットなんていうのが出てきたが、あれより金魚の方がずっと複雑に動く。

それに金魚は、金魚からしか生まれない。

もし世界中に金魚が一匹もいなくなったら、他にどれだけ動物がいても、もう金魚は生まれないのだ。

ばあちゃんは、生命の神秘を見抜いていたんだなあと感心する。

また、ばあちゃんは夜店やお神楽《かぐら》よりも樹木が気になるらしく、毎年毎年、大きな楠を見ては、

「見ろ。この木は、樹齢六百年って書いてある。江戸時代のことも、よう知っとるばい」

と、しきりに感心するのだった。

「視点を変えてみる」というのは、ばあちゃんの得意技だった。

これは祭りの時の話ではないが、ばあちゃんの家には、じいちゃんが買ってきたという古いイギリス製の時計があった。

年代物なので、二日に一回はネジを巻かなければならなかったのだが、そのうち一時間に一回は巻かないと動かなくなってしまった。

「捨てようか」

「いや、いい物だろうから修理に出そう」

相談するおばさん達の横で、ばあちゃんは、

「こんなの、まだまだいい方。そのうち二十四時間、時計の横にいて付きっきりで動かさないと動かんようになるよ」

と笑うのだった。

そして、やがて時計は本当に止まってしまったのだが、永遠に二時を指し続ける時計を見ても、まだ、

「二時にはピタッと合っている。毎日、二回は合っているから、二回見れば大丈夫」

と、うそぶいていた。

何が大丈夫なんだか分からないが、そう言われれば大丈夫な気がするから不思議だった。

ばあちゃんは、毎週お寺さんで説法を聞いていたせいもあると思うが、いろいろ辛い経験をする中で、視点さえ変えれば楽になることもあると、分かっていたんだと思う。

世間体を気にしないということは、人間社会からだけモノを見ないということにもつながっていたのだろう。

ある時、雑草がちっちゃい花をつけているのを、すごく愛《いと》おしそうに見ていたことがある。

「きれかろう」

「うん。でも、ちっちゃい」

そう言った俺に、ばあちゃんは、

「アリから見たら、大きいよ」

と切り返すのだった。

そして、

「花屋の花は肥料をやったり、人の手が加わっているから大きくて当たり前。小さくても一生懸命、自分の力で咲いてるのが一番きれい」

と、とても優しい顔をして花をそっと撫《な》でた。

「人は欲があるけど、犬や猫は何も言わん」

「自然の方が人間の先輩だ。だから、大切にせんば」

人に優しいばあちゃんだったが、植物や動物には、もっともっと優しかった。

エピローグ
～ゴム飛行機今昔物語～

最近、俺がウォーキングをしていることは本文に書いたが、佐賀に家を建ててから知り合いになった近所に住むサブちゃんは、「そんなの、したことない」と言う（ちなみにサブちゃんは、五十歳くらいで無職。俺の佐賀での格好の遊び相手である）。

そこで俺は、

「じゃあ、一度一緒にやってみようよ。俺の家から、赤松小学校を通って城南中学校まで行こう」

と、誘ってみた。

赤松小学校も城南中学校も、俺が通っていた学校で、いわば俺の思い出を辿るスペシャルコースだ。

が、サブちゃんは尻込みする。

「往復10キロはありますよ」

「10キロくらいええやないか。ふたりで世間話しながら行ったら」

俺が半ば強引に誘うと、元来気のいいサブちゃんは、「じゃあ」と一緒に歩いてくれることになった。

家から歩き出して十分くらいは、ずっと田んぼ、また田んぼ。

佐賀市内に入ると、ようやくポツポツと家が目に入ってくる。

季節柄、家々の庭にはたくさんの柿がなっていた。

「サブちゃん、それ盗め」

子どもの頃、しょっ中やっていたことを思い出し、俺はなんとなくワクワクした気分で言ってみたが、

「師匠、捕まりまっせ」

と、サブちゃんは意外に真面目なところを見せた。

子どもの頃はあまり深くも考えず、腹が減ったからと取っていたが、そう言われてみれば、五十歳を過ぎて柿泥棒もないだろうと思い直し、大人しく通り過ぎることにした。

ところがその時、庭先からちょうど俺と同じくらいの歳格好のおばちゃんが出てきて、

「洋七さん、柿ほしいの？」

と聞くではないか！

「なんで、分かんの？」

驚いて聞き返すと、

「ふたりとも、さっきからずーっと柿を見てたから」

と、おばちゃんは笑った。

笑顔につられるように、俺が素直に、

「うん、欲しい」

と頷くと、

「好きなだけ、取れば?」

おばちゃんは、優しく勧めてくれた。

俺とサブちゃんは、六つほど柿をもいで、おばちゃんにお礼を言うと、また歩き出した。

ふたりとも、柿を洗おうなんて考えもせず、歩きながらかぶりつく。

「サブちゃん、やっぱり取ってすぐの柿はうまかねえ」

サブちゃんも隣でうまそうに柿を齧りながら頷いている。

こうして男ふたり、並んで柿を食べながら歩いていると、なんだか一気に四十年以上も前に戻ったような気がして、妙に嬉しい俺だった。

やがて、家や商店が建ち並ぶ路地に差し掛かった。

「あ、師匠。模型屋があるよ」

立ち止まって、そううれしそうに言うサブちゃんに俺は、

「五十歳過ぎて、模型屋なんかアホちゃう?」

と笑って答えたが、その瞬間、模型屋に飾ってある飛行機に目が留まった。

小学校三年生くらいの頃、クラスで流行ったゴムで飛ばす模型飛行機だ。

ある時、

「ばあちゃん、模型飛行機買って」

とねだったら、

「帰ってきたら作っとく」

と言われたことがあった。

変な答えだな、と思いながらも期待に胸をふくらませて家に帰ってばあちゃんに聞いた。

「ばあちゃん、ゴム飛行機は？」

「仏さんの前にある」

見てみると、それはゴム飛行機ではなく、新聞紙で折った紙飛行機だった。

もちろん、俺は抗議した。

「ばあちゃん、これ違うやん」

が、ばあちゃんはなぜか自信満々に答えた。

「この方がいい、見とけ」

そして、五つ作ってくれてあった紙飛行機を、ひとつずつ飛ばし始めたのだった。

「佐賀新聞、西日本新聞、朝日新聞、毎日新聞、読売新聞。ほら、いろいろあって面白いやろ？　これやったら木にも引っかからないし、屋根にも引っかからない。ゴム飛行機より、こっちの方がいい」

一生懸命、紙飛行機を飛ばしてくれるばあちゃんを見て、ゴム飛行機を買うお金がないんだなと分かった瞬間、

「ほんまや。ばあちゃん、こっちの方がええわ」

俺は、嬉しそうな声を上げていた。

あれからもう、四十五年もの歳月が経ったのだ。

俺は吸い込まれるように模型屋に入ると、ゴム飛行機を買った。

子どもの頃は確か百二十円だったのが、今では八百四十円になっていた。

家に帰ってから開けてみると、木製だったプロペラがプラスチックに変わって

いただけで、他はあの頃と全く同じみたいだった。

早速、組み立てはじめる。

「模型屋なんてと言ってたくせに」

とブツブツ言いながら、サブちゃんも手伝ってくれた。

そして、なんとか完成させ、明日乾いたら飛ばそうと約束してその日は別れた。

翌日は、素晴らしい晴天だった。

約束通りやってきたサブちゃんと、たまたま遊びに来ていた娘とそのダンナ、そして近所の田中さんの奥さんや友だちの南里君にも声をかけて、近くの小学校へ出かけた。

「これだけ大勢に見られていたら、飛行機も飛ばなしゃあないと思って飛ぶやろう」

俺は、総勢六人の大人たちを見ながらほくそ笑む。

小学校のグラウンドに着くと、一生懸命、プロペラを回す姿を見て、

「そうそう、うまくは飛ばないんじゃないの？」

みんなそう言ったが、

「大丈夫、大丈夫」

俺は、飛行機を手にみんなから少し離れ、グラウンドの真ん中に立った。

「ようし、飛ばすぞぉ！」

勢いよく叫ぼうと思ったのだが、なぜだか涙がこぼれ落ち、叫ぶことが出来なくなってしまった。

俺の脳裏に、ひとつの光景が蘇っていたのだった。

「じゃあ一旦、家に帰って飛行機を持って集合！」

誰かが放課後に言ったひと言。

そして、みんながゴム飛行機を手に集まってくる校庭で、俺だけが手にしていた紙飛行機。

その時の、悲しいような悔しいような気持ちが思い出されて、涙があふれてしまったのだ。

それでも、涙でぼやけた飛行機から、俺はパッと勢いよく手を離した。

すると、みんなの期待を裏切って、飛行機はグングンと空高く舞い上がった。

「飛んだ！　飛んだ！　飛んだ！」

涙を拭いながら、俺は飛行機の後を追って走る。

飛行機は真っ青な空を、南へ、南へと飛び、やがて小学校のプールにポチャッと落ちた。

一発で飛んだのはいいが、翼に貼ってあった紙はグシャグシャになってしまったし、プールの周囲には鉄条網が張ってあって取りに行くこともできない。

「あーあ」

肩を落とした俺だったが、パチパチパチと、背後から拍手が聞こえてきた。

振り返ってみると、みんなが俺に拍手を送ってくれているのだった。

「四十二年ぶりに作ったけど、一発で飛んだやろう」

俺が得意そうに言ってみせると、

「師匠、すごい、すごい！」

と、さらに拍手が大きくなる。

嬉しいような照れるような、くすぐったい感じがして、またまた涙が出てきてしまった。

泣いているところを見られると恥ずかしいので、俺はみんなの側へは戻らず、大声でガキ大将みたいに叫ぶ。

「小学校の時も、いっつもこうやって飛ばして優勝してたんや！」

また、ウソをついてしまった。

五十歳を越えても、俺のウソは治りそうにない。

でも、サブちゃんとウォーキングをして良かった。

柿の家のおばちゃんとも会えたし、飛行機にも出会った。

人間は家にいるより、ウロウロしていた方がいろんな出会いがあっていいなと思う。

夏は暑いし、冬は寒いけれど、そんなことばかり言っていないで外に出てみようよ。

新しいのや古いのや、いろんな思い出が落ちているかも知れないよ。

【オマケのはなし】

この本を読んで、ばあちゃんが、こんなうまいこと言うわけがないと思った人もいるだろう。

でも、これには秘密があるのだ。

ばあちゃんは、暇さえあれば、

「嫌われているということは

目立っているということや……字余り」

などと俳句まがいのものを作っては、喜んで俺に聞かせていたのである。

「五・七・五になんか、まとまらん。これが、私流の五・七・五」

身勝手なことを言いながら、せっせと詩人ぶっていた。

子育てに忙しくて、趣味など持てなかったばあちゃんの、唯一の娯楽だったのかも知れない。

あとがき
～がばいばあちゃんの莫大《ばくだい》な遺産～

２００１年に『佐賀のがばいばあちゃん』という、俺とばあちゃんの佐賀での思い出を綴った、小説風のエッセイを刊行した。

ムーンライトファクトリーという小さな出版社からの出版だったが、ラジオやテレビで紹介していただいたこともあり、大きな反響を呼んで、２００４年１月には徳間書店から文庫版を出版していただくことができた。

本を出す少し前から、俺は、ばあちゃんのことをみんなに伝えたいという気持ちが強くなっていて、「B&B」でやる漫才のネタも、講演会でのトークのテーマも、常にばあちゃんのことになっていた。

そうしてみて気づいたことは、俺の喋《しゃべ》りは本当にばあちゃん譲りだなあということだった。

　頭が切れて、間がよかったばあちゃんとの会話は、そのまま漫才の原点になったように思う。

　しかも、今はネタもばあちゃんのことばっかりだから、ばあちゃん様々だ。

　ばあちゃんの話は、本当に面白いし、面白いだけじゃなくて感動がある。

　だから、本を読んでくれた方、漫才や講演を聞いてくれた方が、

「もっと、おばあちゃんのことを話してください。次の本はいつ出ますか」

と言ってくださったり、手紙をくださるのだと思う。

　今回、みなさんの激励を受けて、二冊目の本を出版することができた。

　ばあちゃんの「がばい人生観」が伝わればいいなあと思い、テーマごとに章を区切ったエッセイにしてみたが、楽しんでいただけただろうか。

　本を通して、俺がばあちゃんにもらった大きなものが、ほんの少しでもみなさんにお裾分《すそわ》けできていればいいなあと思う。

この本は、俺の本であって俺の本ではない。

ばあちゃんの遺《のこ》してくれた、ばあちゃんの本だ。

だからこそ俺は、照れずに大きな声で言うことができる。

「みんな、読んでください！　絶対に、面白いよ！」


最後になりましたが、ばあちゃんの話を面白いと思ってくれて、この本の出版に携わってくださったみなさん、ありがとう。

心から感謝申し上げます。

そして、みんなに大きな遺産を遺してくれたばあちゃん、本当にありがとう。

2004年12月　島田洋七

ばあちゃん、ありがとう！

この作品は徳間文庫のために書下されました。

徳間文庫をお楽しみいただけましたでしょうか。どうぞご意見・ご感想をお寄せ下さい。
宛先は、〒105－8055　東京都港区芝大門2－2－1　㈱徳間書店「文庫読者係」です。

徳間文庫

がばいばあちゃんの
笑《え》顔《がお》で生《い》きんしゃい！

2005年1月15日 初刷
2006年10月10日 21刷

著者 島《しま》田《だ》洋《よう》七《しち》
発行者 松《まつ》下《した》武《たけ》義《よし》
発行所 東京都港区芝大門二—二—二〒105—8055 株式会社徳間書店
電話 編集部〇三(五四〇三)四三五〇
販売部〇三(五四〇三)四三二四
振替 〇〇一四〇—〇—四四三九二
印刷
製本 図書印刷株式会社

〈編集担当 丹羽圭子〉

ISBN4-19-892184-9 (乱丁、落丁本はお取りかえいたします)